Deseo

No dudes de mí

SARAH M. ANDERSON

Editado por HARLEQUIN IBÉRICA, S.A.
Núñez de Balboa, 56
28001 Madrid

© 2011 Sarah M. Anderson. Todos los derechos reservados.
NO DUDES DE MÍ, N.º 1871 - 29.8.12
Título original: A Man of His World
Publicada originalmente por Harlequin Enterprises, Ltd.

I.S.B.N.: 978-84-687-0388-6
Depósito legal: M-20659-2012
Editor responsable: Luis Pugni
Fotomecánica: M.T. Color & Diseño, S.L. Las Rozas (Madrid)
Impresión en Black print CPI (Barcelona)
Fecha impresion para Argentina: 25.2.13
Distribuidor exclusivo para España: LOGISTA
Distribuidor para México: CODIPLYRSA
Distribuidores para Argentina: interior, BERTRAN, S.A.C. Vélez
Sársfield, 1950. Cap. Fed./ Buenos Aires y Gran Buenos Aires,
VACCARO SÁNCHEZ y Cía, S.A.
Distribuidor para Chile: DISTRIBUIDORA ALFA, S.A.

Capítulo Uno

Aquella mañana, Dan Armstrong había elegido un revolver de seis cartuchos cuando su tío le advirtió que no fuera a montar desarmado, y aunque en el momento le había parecido una precaución innecesaria, en aquel instante se alegró de tenerlo consigo.

Había algo en el bosque que estaba atravesando que hacía pensar en el viejo oeste y que hacía volar la imaginación. El rancho de Dan en Fort Worth era maravilloso, pero en Texas no había aquellos magníficos pinares, ni un río de escarpadas riberas rocosas como el Dakota.

Era una lástima que aquel paisaje fuera a transformarse cuando su empresa concluyera su trabajo. Su tío, Cecil Armstrong, que poseía el cincuenta por ciento de la compañía, quería cortar los pinos de varias hectáreas antes de construir una reserva de agua a medio kilómetro río arriba. Y aunque Dan estaba de acuerdo con él en que valía la pena aprovechar los beneficios que podría obtener de la madera, lamentaba que aquel bosque tuviera que desaparecer.

Estaba convencido de que aquel paisaje permanecía intacto desde los tiempos en que indios y vaqueros habitaban la cordillera. Si cerraba los ojos, podía oír el retumbar de los cascos de las cabalgaduras.

Se giró sobre la montura y escudriñó entre los troncos, convencido de que había oído un caballo de verdad. El sonido cesó en cuanto se movió, y para cuando se protegió del sol del atardecer con el Stetson, solo vio una nube de polvo a varios metros de distancia, en el camino que acababa de recorrer.

Instintivamente, posó la mano en la culata del revolver. El polvo se asentó, dejando ver una figura a la que el reflejo del sol parecía rodear de un aura. Dan cerró los ojos, pero al abrirlos, la figura seguía allí.

Se trataba de una princesa india sobre un caballo pinto. Su largo cabello flotaba en una brisa que Dan, demasiado sorprendido, ni siquiera sentía.

El caballo de la mujer dio un paso adelante. Ella llevaba un sencillo vestido de cuero que dejaba al descubierto sus piernas, cuyos pies estaban cubiertos por mocasines. Por su actitud relajada, era obvio que acostumbraba a montar sin silla. El caballo llevaba la cabeza pintada de rojo, lo que hizo pensar a Dan que se trataba de pintura de guerra.

¿Estaría soñando? Aquella mujer parecía proceder del pasado y ser tan pura como la tierra que la rodeaba. Dan había visto a algunos indios lakota en los tres días que llevaba por allí, pero ninguno se parecía a ella.

Ninguno lo había mirado como lo hacía ella. Con una mano sostenía las riendas y la otra la posaba sobre el muslo. Ladeó la cabeza y su cabello negro le cayó por un costado. Era preciosa. Dan sintió que el corazón se le aceleraba y quitó la mano del revolver. Cecil le había advertido que los lakota que quedaban en la región eran una panda de borrachos vagos, pero no había mencionado a las mujeres. La mirada de orgullo con la que aquella mujer clavaba sus ojos claros en él y su elegante pose no se correspondían con aquellos adjetivos. Nunca había visto una mujer tan espectacular.

Ella se inclinó hacia adelante y Dan pudo percibir la forma de sus senos contra el vestido.

La princesa le dedicó una amplia sonrisa. Entonces, súbitamente, pasó de la quietud al movimiento, y el caballo salió al galope al tiempo que ella levantaba una mano.

El sombrero de Dan salió volando a la vez que un disparo resonaba en el valle. Su caballo, Smokey, se encabritó y Dan tuvo que dominarlo a la vez que se agachaba para protegerse.

Para cuando controló al caballo y se giró, la mujer había desaparecido. Sin pensárselo, Dan clavó las espuelas en Smokey y tomó el sendero por el que la había visto desaparecer. Por muy hermosa que fuera, nadie osaba dispararle.

Oyó ruido de ramas rotas hacia un lado y dedujo que había abandonado el sendero. Dan aguzó la mirada y le pareció ver algo blanco. Su furia se incrementó según avanzaba. En el mundo del petróleo se había topado con tipos siniestros, pero nunca había recibido un disparo. No tenía enemigos porque evitaba tenerlos, Ni era un pistolero, ni vivía en el pasado. Él era un hombre de negocios y creía en el honor de la palabra.

Vio algo blanco de nuevo y se quedó paralizado.

Un ciervo de cola blanca se alejaba de él. Dejando escapar una maldición, Dan se preguntó qué había sucedido, y habría creído que se trataba de su imaginación de no ser por el agujero en su sombrero.

Volvió al punto donde lo había perdido, lo recogió y se le heló la sangre. Tenía un agujero a unos centímetros de donde había descansado sobre su cabeza.

Aquella hermosa mujer le había disparado.

Alguien tendría que darle una explicación.

Dan seguía furioso para cuando llegó al rancho. Por algún motivo que se le escapaba, su tío había decidido instalar la sección hidráulica de Armstrong Holdings en una mansión que había construido un ganadero en 1880. Era un edificio precioso, con balaustradas y vidrieras, pero que no tenía nada de oficina central. Dan nunca había sabido por qué Cecil había elegido aquel lugar en medio de la nada en lugar de las oficinas que él tenía en Sioux Falls, pero Cecil siempre daba la impresión de querer esconderse.

Como jefe de operaciones de Armstrong Holdings, el negocio familiar que su padre y su tío Cecil habían creado cuarenta años atrás, Dan era dueño de la mitad de aquella casa. Técnicamente, también le correspondían la mitad de los derechos del agua del río Dakota, por los que la tribu lakota he habían demandado. Era dueño de la mitad del precioso valle donde acababan de dispararle, y socio a partes iguales del negocio de la futura presa.

No estaba dispuesto a que Cecil destruyera la

compañía que tanto le había costado expandir. Cecil nunca había sido demasiado sutil para los negocios, tal y como había demostrado la semana anterior, pidiéndole que fuera a South Dakota. Tenía un problema con la presa que llevaba cinco años tratando de construir y le había dicho que Armstrong Holdings perdería millones de dólares en contratos con el gobierno si no se presentaba allí aquella misma semana.

A Dan no le gustaba que su tío creyera tenerlo a su disposición, pero había decidido que era una buena oportunidad para contrastar algunos desajustes en los informes financieros de la empresa. Entretanto, tendría que soportar a Cecil mientras siguiera siendo director ejecutivo.

Recordó que su tío le había dicho que tenía problemas con algunos indios, pero no había llegado a explicarle que esos problemas exigieran que llevara un chaleco antibalas.

Dan entró con paso firme en la casa, sobresaltando al ama de llaves.

–¿Está bien, señor Armstrong? –preguntó María, con su fuerte acento mejicano.

Dan se apaciguó. Cecil trataba a aquella mujer despóticamente, lo que le obligaba a él a ser particularmente amable con ella. Además de saber que la mejor manera de obtener información era tener de su parte al servicio.

–María –preguntó con calma–. ¿Tenéis problemas por aquí?

La mujer se ruborizó.

–¿A qué se refiere, señor?

–A problemas con los indios.

La expresión de sorpresa de María le hizo dudar, pero el agujero de su sombrero no tenía nada de imaginario. Se lo mostró.

María abrió los ojos desmesuradamente.

–¡Dios mío! No, señor, no tenemos ningún problema.

Dan tuvo la seguridad de que María decía la verdad.

–Si oye algo, me lo contará ¿verdad? –dijo, dedicándole una sonrisa amable.

–Claro, señor –dijo ella, retrocediendo hacia la cocina.

Dan fue al despacho de su tío. Como hombre de negocios, Cecil había sido un visionario que tras hacerse con el monopolio de petróleo en Texas, había diversificado la actividad hacia las presas hidráulicas. Esa era la razón de que se hubiera instalado en Dakota del Sur. Donde los derechos del agua eran baratos y había un enorme potencial. Armstrong Hydro se había hecho con todo el negocio de la zona.

A Dan nunca le había gustado Cecil, y solo podía librarse de él si presentaba pruebas irrefutables a la junta directiva de algún tipo de malversación, lo que era una de las razones de aquel viaje.

Entró en el despacho sin llamar. Cecil alzó la mirada. Dan, que nunca le había visto sonreír, dejó caer el sombrero en su escritorio.

–Alguien me ha disparado.

Cecil estudió el agujero.

–¿Los has pillado? –preguntó sin mostrar ninguna sorpresa.

–No. La he perdido.

–¿Has dejado escapar a una mujer? –preguntó Cecil, despectivo–. Nunca se ha visto a una mujer. Me pregunto si tiene algo que ver con los sabotajes que se han producido en las obras.

Dan sabía algo de eso, pero por boca de un ingeniero. Era otro de tantos temas que Cecil prefería mantener ocultos.

Tenía experiencia con ecoterroristas, con los que había alcanzado acuerdos en diversas ocasiones. Pero nunca se había enfrentado a una preciosa princesa nativa que actuaba a la luz del día.

Sin transición, Cecil dejó el sombrero y tomó un papel.

–Tengo un recado para ti.

A Dan siempre le irritaba que lo tratara como a un muchacho y no como a un socio.

–¿Van a volver a dispararme? –preguntó, irritado.

–Quiero que vayas a ver a los indios. Se te da mejor hablar a ti que a mí.

Dan pensó que era lógico, puesto que Cecil no hablaba, solo impartía órdenes.

–¿Para qué? –preguntó.

–Creen que pueden impugnar la construcción de la presa aduciendo no sé qué derechos sobre el agua, cuando soy yo quien los posee.

–Eso no es una novedad. ¿Por qué no envías a nuestros abogados?

–Porque tienen una abogada, Rosebud Donnelly,

que ya ha acabado con tres de ellos –dijo Cecil con desdén.

Dan pensó que alguien que despertaba tal animadversión en su tío era digno de admiración.

–¿Y?

Cecil lo miró de arriba abajo.

–Tú eres un hombre atractivo y sabes cómo tratar a las mujeres.

–¿Quieres que la seduzca para que olvide la demanda? –preguntó Dan con sarcasmo.

–Solo pretendo que la distraigas y que si puedes acceder a sus documentos…

Dan tomó bruscamente los papeles que Cecil tenía en la mano. Cuanto antes se fuera, mejor.

–¿Cuándo es la cita?

–Mañana a las diez, en la reserva –dijo Cecil, despidiéndolo con un ademán de la mano.

Por segunda vez en aquel día, Dan estaba tan furioso que se le nubló la vista. Cecil debía haber intuido que corría peligro si iba al bosque. Y aunque fuera inconcebible, se preguntó si no habría sido él quien había mandado a alguien a matarlo.

Miró los papeles. Aunque le irritaba que su tío creyera que podía mandarlo a hacer el trabajo sucio, por otro lado, cabía la posibilidad de que los indios supieran algo que él pudiera usar en su contra. Además, la reserva era el mejor lugar donde buscar a una princesa india.

Pero antes, tendría que entrevistarse con Rosebud Donnelly.

Capítulo Dos

Rosebud Donnelly miró por encima del borde de las gafas a Judy, la recepcionista, que la miraba desde la puerta con expresión de ansiedad.

–Está aquí.

–¿Johnson quiere que lo noquee de nuevo?

En la privacidad de su oficina, aunque fuera poco más que un armario, Rosebud sonrió al pensar en aquel patético abogado al que había sido tan fácil quebrar.

–No –Judy abrió los ojos.

–¿No será él, verdad? –le costaba imaginar que Cecil Armstrong fuera a presentarse en público, a plena luz del día, cuando era un vampiro que, en lugar de sangre, quería alimentarse del agua de la reserva.

–Dice que es Dan Armstrong, el sobrino de Cecil.

Rosebud sintió una íntima satisfacción. Él cambiaba de táctica. Ya no mandaba abogados que no tenían ni idea de legislación tribal, sino a miembros de su familia, como si creyera que ella cedería al chantaje emocional.

–¿Es una réplica de su tío?

–No. Es muy distinto –dijo Judy–. Debes tener cuidado con él, Rosebud.

–Siempre lo tengo –dijo Rosebud, sorprendida por la inquietud de Judy–. Haz que se siente y dale mucho café. Y avísame cuando lleguen Joe y Emily.

Cuando Judy se fue, Rosebud tomó su viejo neceser de maquillaje. Su aspecto era solo una de sus armas, pero solía ser la mejor en un primer encuentro. Tras tres años como representante legal de la tribu en su enfrentamiento con Armstrong Holding, había perfeccionado su estrategia. Johnson había sido la última víctima. A lo largo de tres semanas, Rosebud se había comportado como una inepta, lo bastante como para que Johnson creyera que había ganado y para conseguir pruebas que lo incriminaban en un asunto turbio de venta de analgésicos prohibidos. Aunque había intentado defenderse, finalmente, había optado por desaparecer.

«¡Hombres!», pensó con desprecio. Sobre todo los blancos, que creían que todo el mundo debía regirse por sus normas. Se hizo una trenza y se la recogió en un moño para proyectar una imagen inocente y severa a un tiempo. Para sujetarlo, usó dos palillos de cuyo extremo colgaban unas cuentas verdes. Eran el único objeto que conservaba de su madre.

Tras pintarse los labios, tomó unas carpetas. No tenía la menor esperanza de que Dan Armstrong fuera distinto a los anteriores, pero siempre cabía la posibilidad de que se le escapara algo que le permitiera establecer una conexión con su hermano, Tanner.

Judy llamó a la puerta con los nudillos. Rosebud miró la hora y vio que había pasado media hora. Perfecto.

–Ya están aquí.

–¿Qué tal estoy? –preguntó Rosebud, parpadeando.

–Ten cuidado –la avisó Judy de nuevo.

Rosebud sintió curiosidad por el hombre que inquietaba tanto a Judy. Se encontró con Joe White Thunder y Emily Mankiller fuera de la sala de reuniones.

–¿Os ha dicho Judy que es un tipo nuevo? –preguntó, besando a su tía.

Los ojos de Joe brillaron y Rosebud pudo intuir al hombre que había pasado tiempo en Alcatraz. A veces deseaba haber conocido a aquel Joe pero también valoraba al del presente: un anciano de la tribu cuyo consejo era fundamental.

–Ya sabía yo que el último no estaba a tu altura –dijo él.

Y Rosebud se ruborizó ante el cumplido a pesar de que Emily, que siempre había estado en contra de la desobediencia, civil o de cualquier otro tipo, sacudía la cabeza con desaprobación.

–Que no se te suba a la cabeza, querida –le advirtió.

–Lo sé –dijo Rosebud–. ¿Os acordáis de lo que tenéis que hacer?

Joe la miró con expresión risueña.

–*Claro que saber* –dijo, y puso rostro inexpresivo para representar el estereotipo de indio estoico.

Joe no abriría la boca. Representaba el silencio intimidatorio. Ni siquiera miraría a Dan Armstrong. Si había algo que odiaban los abogados engreídos era

13

que los ignoraran. Lograba inquietarlos, y un abogado inquieto era un abogado derrotado.

La tía Emily suspiró. Rosebud sabía que odiaba aquellas reuniones y que Joe actuara como un indio ficticio. Pero aún más odiaba la idea de que Armstrong Holdings inundara la reserva.

–Listos.

«Allá vamos», pensó Rosebud al tiempo que abría la puerta con el corazón palpitante. Un nuevo adversario significaba una nueva batalla. Aunque no sabía si podría ganar la guerra, al menos sí podía retrasar la victoria de Cecil Armstrong.

Lo primero que observó y que la irritó levemente fue que Dan Armstrong estaba de pie, mirando por la estrecha ventana, en lugar de sentado en la silla que tenían preparada para las víctimas, un poco más baja que las demás y con una rueda inestable.

Lo que percibió a continuación, borró su irritación. Dan Armstrong era alto y fuerte. Llevaba una cazadora gastada y su cabello, corto aunque se rizaba en la nuca, era castaño claro, casi rubio bajo la luz del sol. Hacía mucho que no veía un hombre tan… hombre.

Entonces se volvió y Rosebud contuvo el aliento. De pronto se sintió vulnerable, con la vulnerabilidad de quien, habiendo cometido un error del que creía haber escapado ilesa, era descubierto con las manos en la masa. Estaba perdida.

Él debió notar su confusión, porque la sonrió como un hombre consciente del efecto que tenía en las mujeres. Pero al no parecer que la reconociera, sacó a Rosebud de su turbación. Si él no la reconocía y no había testigos, ¿podía decirse que se hubiera cometido un crimen?

—Señor… Armstrong, ¿verdad? —dijo, como si no se hubiera molestado en recordar su nombre—. Soy Rosebud Donnelly, la abogada de la reserva de los indios lakota.

—Es un placer conocerla.

Tenía una voz peligrosamente acariciadora. Armstrong alzó la mano hacia el sombrero, pero entonces pareció darse cuenta de que no lo llevaba puesto. Así que le tendió la mano. Rosebud se preguntó si habría recuperado el que había salido volando con el disparo y decidió ir a buscarlo aquella noche. Sin sombrero, no habría pruebas.

Estaba desconcertada. Ninguno de los tres abogados previos había hecho el menor esfuerzo por ser cordial. Esperó unos segundos a estrechar la mano de Dan. Normalmente, la daba con debilidad, para engañar a sus oponentes. Pero en aquella ocasión, la estrechó con firmeza para sentir que mantenía el control. La mano de Armstrong estaba caliente pero no sudorosa. No estaba nervioso. Y él la observó con aparente respeto con sus ojos verde grisáceos. No quería ni imaginar lo que su tío le habría contado de ella, y por un segundo estuvo tentada de decirle que no era verdad, lo que era completamente absurdo. Por fin comprendía las advertencias de Judy.

Retiró la mano, que él retuvo unos segundos más de lo imprescindible. Estremeciéndose, Rosebud se obligó a seguir adelante.

–Este es Joseph White Thunder, un anciano de la tribu; y Emily Mankiller, mujer del consejo.

Emily debió notar el titubeo de Rosebud, porque tomó la palabra mientras Joe se sentaba sin estrecharle la mano.

–Señor Armstrong, ¿conoce usted los términos del tratado de 1877 entre el gobierno de los Estados Unidos y las tribus lakota, dakota y nakota de Dakota del Sur?

Armstrong inclinó la cabeza con respeto a la vez que se sentaba. Rosebud sonrió al ver que necesitaba agarrarse a la mesa para no perder el equilibrio. Aun así, dijo, imperturbable:

–Mentiría si dijera que sí.

Emily era una de las pocas persona en la reserva con una licenciatura en Historia de América, y su papel consistía en agotar al adversario con una minuciosa enumeración de las injusticias sufridas por los lakota a manos del gobierno y de corporaciones como Armstrong Holdings. Rosebud tenía unos cuarenta minutos para aclarar su mente.

Emily avanzó en la explicación mientras Joe miraba a un punto fijo en la pared por encima de la cabeza de Armstrong, y Rosebud revisaba las notas de sus reuniones con Johnson.

Apenas tenía nada nuevo. Al contrario que en el caso de su abogado, no conseguía obtener ninguna información con la que atacar a Cecil Armstrong. Se relacionaba con ambos partidos políticos, visitaba dos veces al mes a una respetable divorciada y no tenía secretaria personal. Eso era todo lo que había averiguado en tres años, y cada vez estaba más frustrada.

Miró de reojo a Armstrong y, asombrada, vio que tomaba notas y que incluso hacía algunas preguntas. Era evidente que no era abogado, porque a estos no les interesaban las clases de historia.

Una vez Emily concluyó, le llegó a ella el turno.

—Señor Armstrong, ¿es usted consciente de que su empresa pretende embalsar el río Dakota?

—Sí, señora —dijo él, intentando apoyarse en el respaldo sin caerse—. A unos cuatro kilómetros de aquí. La empresa posee los derechos del agua y tiene los permisos correspondientes para empezar a construir la presa en otoño.

—¿Y sabe que para ello ha de anegar más de mil cuatrocientas hectáreas de la reserva?

—Tenía entendido que la presa se construiría en terreno deshabitado —dijo él, mirándola con curiosidad.

Rosebud recordó lo atractivo que estaba sobre el caballo. Su error había sido querer verlo mejor. En lugar de disparar desde la espesura, se había acercado demasiado y él la había visto. Había estado a punto de matarlo, y todo porque era guapo. Por eso mismo debía recordarse que ella no era una mujer, sino una abogada. La ley era lo único que contaba.

—Entonces está haciéndonos perder el tiempo —dijo, a la vez que empezaba a recoger papeles. Emily y Joe se pusieron de pie.

—Señorita Donnelly, por favor —Armstrong se puso en pie a su vez. Rosebud evitó mirarlo a los ojos, pero al fijarse en su mentón vio que era firme y que estaba recién afeitado–. Edúqueme.

Súbitamente, Rosebud supo lo peligroso que era Dan Armstrong. Ella estaba acostumbrada abogados fríos y calculadores, no a un hombre que mostraba interés y compasión.

–De acuerdo –dijo, sonando aun más irritada de lo que pretendía–. Cecil ha sido una maldición para esta tierra desde el día que llegó, hace cinco años. Ha expulsado a lo rancheros locales a base de amenazas para conseguir su tierra y los derechos del agua. Ha denunciado a la tribu por trivialidades, y pretende expropiarnos con la excusa de que la presa es un bien común.

Armstrong tomaba notas frenéticamente y Rosebud decidió que esa era la nueva estrategia: mostrar el rostro compasivo de Armstrong Holdings.

–Ha sometido a la tribu a una campaña de intimidación –continuó. Aunque no tenían pruebas, ningún otro podía ser responsable de los disparos a la casa de Emily, de las ruedas pinchadas de Joe o del mapache despellejado que habían dejado en su porche hacía tres días. Nadie los odiaba con tanta pasión como Cecil Armstrong.

–Esa es una acusación muy seria –dijo Dan sin dar la menor muestra de no creerlo posible.

–Han muerto varios hombres –Rosebud notó que se le quebraba la voz, y se irritó consigo misma. Emily le posó una mano en el brazo.

Dan la observó atentamente.

–¿Tiene pruebas?

Pareció una pregunta sincera, no retadora. Pero la respuesta era complicada.

–El FBI dijo que se trataba de casos de suicidio.

El dinero lo compraba todo y Cecil tenía mucho. Los casos se cerraron como suicidios de indios borrachos. Pero Tanner jamás había bebido. Sin embargo, había cometido el error de ser su hermano.

Dan la observó a ella y el gesto de consuelo de su tía.

–Lamento su pérdida –dijo. Y Rosebud sintió que el suelo se abría bajo sus pies al percibir la sinceridad de sus condolencias. Dan continuó–: Como he dicho, son cargos muy serios. Me gustaría estudiar la documentación.

Rosebud se alegró de volver a un terreno impersonal.

–Comprenderá que no podemos consentir que los documentos abandonen el edificio.

–Por supuesto. ¿Puede proporcionarme una copia?

–Su predecesor tenía una.

–Lo sé. Pero parece que ha desaparecido de su coche hace una semana, junto con su ordenador, un iPod y tres chocolatinas.

Rosebud asumió que el autor del robo sería Matt, que se consideraba el sucesor ideológico de Tanner cuando no era más que un delincuente. Aparentó sorprenderse, pero la sonrisa de Dan le indicó que no le engañaba.

–¡Qué mala suerte! Me temo que no podemos hacer otra copia porque la fotocopiadora se ha roto hace unos días –dijo. Lo que era parcialmente verdad porque llevaba dos años estropeada.

–Entonces, si me da su permiso, solo queda una posibilidad: que venga a estudiarlos aquí.

Rosebud miró a Emily, que pareció considerar la petición.

–Está bien, señor Amrstrong, pero bajo ciertas condiciones.

–Por supuesto –dijo él, sonriendo con la satisfacción de quien solía salirse con la suya–. Imagino que querrá que alguien me supervise.

La implicación era evidente para Rosebud. Acababa de atraparla, y él lo sabía. Solo ella conocía la importancia de aquellos documentos, y era la única que podría asegurarse de que ningún documento relevante saliera de la oficina.

Tenía que admitir que era un gran adversario.

Emily tomó de nuevo la palabra, explicando que la tribu solo quería seguir en paz y ser respetada. Mientras hablaba, Rosebud observó las manos de Dan, cuyos callos demostraban que había trabajado duro para llegar a donde estaba. Tanto su ropa como su calzado parecían hechos a mano, extremadamente caros. Pero era evidente que no pasaba el día en una oficina, y Rosebud sospechaba que si necesitaba algo, iba él mismo a conseguirlo.

Debía tener cuidado o se daría cuenta que lo observaba. ¿Qué habría estado haciendo en el bosque? El sentimiento de culpa la golpeó. Había asumido que era otro de los mercenarios de Cecil Armstrong, con lo que había incurrido en un segundo error.

Cuando Emily llegaba al final de su charla, Armstrong empezó a revolverse en la silla. El café empezaba a surtir efecto. En cualquier otra ocasión, Rosebud habría aprovechado para noquearlo, pero aquel día estaba ansiosa por dejar la habitación, alejarse de aquel hombre y decidir cuál debía ser su siguiente paso.

Cuando Dan salió, Joe tampoco le estrechó la mano, pero Emily sí lo hizo. A continuación, él estrechó la de Rosebud con fuerza, al tiempo que decía:

–Estoy deseando trabajar con usted.

El calor de su mano se propagó por el brazo de Rosebud tanto que esta temió ruborizarse.

Pero mucho peor fue darse cuenta de que también ella lo estaba deseando.

Capítulo Tres

Rosebud dejó las carpetas en el despacho y salió a airearse. Expuso el rostro al sol y cerró los ojos. La brisa conservaba el frescor de la primavera y le ayudó a despejar la mente.

La situación no estaba fuera de control aunque Dan Armstrong representara un tipo nuevo de peligro. Una mujer no se hacía abogada sin saber cómo ocuparse de un hombre. Lo fundamental era recordar a quién representaba y no dejarse engañar por su aparente respeto y consideración.

–¿Estás bien, Rosie? –preguntó Joe, posando una mano en su hombro.

–Perfectamente –dijo ella. Nunca admitía ninguna debilidad. Abrió los ojos y vio a Emily ante sí–. ¿Qué pasa?

Emily miró a Joe y suspiró.

–Ese hombre…

–Puedo ocuparme de él.

Emily la miró con inquietud. Luego se inclinó para quitarle los palillos del moño y su cabello cayó como una cortina de seda.

–Es muy guapo. Y tú eres una mujer hermosa.

Algo en el tono de tía Emily hizo que Rosebud se pusiera en guardia.

—¿Qué quieres decir?

—Mantén a tus amigos cerca, pero aún más cerca a tus enemigos —dijo Joe en tono solemne a la vez que intensificaba la presión sobre su hombro.

—¿Pretendéis que… que me acueste con él? —al ver que Emily no contestaba, Rosebud fue a dar un paso atrás, pero Joe estaba a su espalda. La brisa que antes le parecía fresca, se tornó heladora y le congeló los huesos—. ¿Queréis que me acueste con él? —preguntó de nuevo, indignada.

De todo lo que le habían pedido que hiciera: estudiar Derecho en lugar de Arte; olvidarse de tener una vida normal para dedicarse de pleno a la estrategia legal contra Armstrong Holdings, saberse amenazada, haber perdido a su hermano… Nada le resultaba tan espantoso como acostarse con su enemigo, por muy atractivo que este fuera.

Había dado su alma a la tribu, pero no siendo bastante, le pedían su cuerpo.

—No, no —protestó Joe—. Solo decimos que una mujer hermosa puede ofuscar a un hombre.

—Puede que esta sea la oportunidad que hemos estado esperando, querida —añadió Emily con cautela—. Cabe la posibilidad de que se le escape algo sobre su tío, que sepa algo sobre Tanner.

Ese era un golpe bajo y Rosebud tuvo la tentación de abofetear a su tía. Pero al instante, se dio cuenta de que tenía razón. Dan Armstrong representaba la posibilidad de hacer un poco de espionaje. Si conseguía hacer responsable a algún Armstrong de la muerte de su hermano, podría volver a conciliar el sueño, y hasta podía descubrir la manera de impedir que se construyera la presa.

Emily le dedicó una sonrisa forzada.

—Es lo que Tanner habría hecho —le quitó las gafas y se las metió en el bolsillo del único traje de chaqueta que poseía—. Hazlo por él.

Rosebud sintió que las lágrimas que siempre ocultaba amenazaban con desbordarse.

—Está bien —dijo, cerrando los ojos para contenerlas.

Emily la besó a modo de bendición.

—Descubre lo que puedas y no dejes que descubran nada.

—Haz todo lo que puedas —dijo Joe, retirando la mano de su hombro.

Rosebud llevaba haciendo todo lo que podía desde hacía tres años, pero nada era suficiente, y a veces dudaba de que llegara a serlo.

Oyó cerrarse las puertas de los dos coches y cómo se alejaban, pero mantuvo los ojos cerrados. La brisa le removió el cabello, y el sol pareció querer reconfortarla y decirle que todo iría bien. Pero Rosebud no estaba convencida de ello.

Al morir Tanner, juró averiguar quién le había puesto la pistola en la mano y había apretado el gatillo, pero no se le había pasado por la cabeza que eso incluyera seducir al sobrino de Cecil Armstrong.

—¿Señorita Donnelly?

—Señor Armstrong —dijo ella sin volverse. ¿Cómo iba a sembrar la confusión en él si ella misma sentía la mente nublada?—. Gracias por haber venido.

Rosebud percibió que se colocaba a su lado y, lentamente, abrió los ojos para mirarlo. Al mismo tiempo, el aire le arremolinó el cabello y la mirada de Armstrong pasó de la curiosidad al reconocimiento. Las aletas de su nariz se dilataron y su barbilla se tensó. Rosebud ya no tenía ante sí a un hombre compasivo. Cualquier observador se habría dado cuenta de que estaba furioso.

—¿Monta a caballo, señorita Donnelly —preguntó él entre dientes.

Rosebud supo al instante que tenía que aparentar inocencia.

—Por supuesto. Todo el mundo monta a caballo en esta tierra. ¿Usted?

Armstrong entrecerraba los ojos de tal manera que apenas eran dos rayas. No la creía.

—Claro. ¿Qué tipo de caballo monta?

—Scout es un pinto —Rosebud habría querido esconderse, pero mantuvo la mirada de Armstrong—. ¿El suyo?

—Palomino —Armstrong pasó a su lado tan bruscamente que la sobresaltó—. De hecho, el otro día lo monté en un bonito valle, cerca de donde se va a construir la presa.

—¿Ah, sí? —fue todo lo que ella pudo decir al ver que se dirigía a una enorme ranchera negra y sacaba bruscamente un sombrero… con un agujero de bala.

Por primera vez en su vida creyó que se desmayaría. Solo la sostuvo saber que hacerlo sería tanto como confesarse culpable.

Armstrong la observaba con frío interés.

–Alguien disparó contra mí.

Rosebud tragó y compuso un gesto de sorpresa.

–¡Qué espanto! ¿Vio quién lo hizo?

Él dio un paso hacia ella escrutando su rostro con tal concentración que el verde de sus ojos se transformó en negro y Rosebud pensó que parecía más un espíritu que un ser humano.

–Fue una mujer, una espectacular india con el cabello muy largo y negro –dijo él, a la vez que enredaba un mechón entre sus dedos y la obligaba a mirarlo a la cara–. Llevaba un vestido de ante y mocasines, montaba un caballo pinto con la cabeza pintada.

–¡Qué extraño! –dijo ella, esforzándose por mostrar incredulidad–. Lo normal es que vistamos con vaqueros y camisetas –antes de que Dan añadiera algo, dijo con firmeza–: Haré averiguaciones, señor Armstrong. Que no aprobemos el comportamiento de su tío, no justifica que se cometa un asesinato.

–Espero que pueda darme una explicación lo antes posible –Dan se inclinó hacia ella con una sonrisa sarcástica–. Quiero respuestas.

Mantener a los amigos cerca y a los enemigos aun más. Al percibir que Armstrong fijaba la mirada en sus labios, Rosebud preguntó:

–¿Va a besarme?

Irritada, notó que en lugar de sonar como una abogada, le salió voz de mujer fatal de película, pero confió en haber reaccionado adecuadamente.

Debió ser así, porque él apretó los dientes y con la mano que tenía libre le retiró un mechón que revoloteaba sobre su rostro, acariciándoselo levemente.

Rosebud se estremeció y él esbozó una sonrisa. Pero no había dicho la última palabra.

–¿Piensa volver a dispararme?

–No sé de qué me está hablando –Rosebud no consiguió sonar indignada sino que la voz le salió como un susurro, más propio del beso que no se habían llegado a dar.

Él tensó aún más su cabello. Estaba claro que no iba a dejarla ir tan fácilmente.

–Creía que los abogados sabían mentir.

Rosebud agradeció que volviera a un terreno que le resultaba más familiar. Sin embargo, el primer pensamiento que se le pasó por la cabeza fue ordenarle que la besara, como una reacción automática, primitiva, que no tenía nada que ver con una estrategia, ni con su tía Emily.

Ni siquiera recordaba la última vez que la habían besado o que había estado junto a un hombre tan atractivo y que oliera tan bien, a una mezcla de hierba, cuero... sándalo.

A la parte de sí que llevaba demasiado tiempo sola, le daba lo mismo que se tratara del enemigo, o que ella hubiera estado a punto de matarlo. Solo le importaba que le estuviera tocando el cabello, que su rostro estuviera a unos centímetros del suyo, y que pareciera capaz de ver más allá que su impostada personalidad de abogada.

«Bésame», pensó.

Pero él no lo hizo. Alzando la cabeza bruscamente, le soltó el cabello y retrocedió. Y al instante, Rosebud sintió una irracional mezcla de alivio y añoranza.

Pero todavía no estaba a salvo. Armstrong seguía escudriñando su rostro en busca de alguna reacción.

–No me gusta convertirme en una diana –dijo él finalmente.

–No creo que le guste a nadie –dijo ella, retirándose el cabello a la espalda con un movimiento de cabeza. ¿Por qué no la habría besado?–. Si me entero de algo, se lo contaré.

Armstrong se humedeció el labio inferior y Rosebud pensó que Joe tenía razón: una mujer podía llegar a crear la confusión en un hombre. Él sacó una cartera del bolsillo trasero y de esta, una tarjeta.

–Si descubre algo –dijo, dándosela–, llámeme. Quiero denunciarlo. La dirección es incorrecta, pero el teléfono móvil es el correcto.

«Armstrong Holdings, Jefe de Operaciones, Wichita Falls, Texas».

Rosebud se mordió el labio. Así que no era un don nadie, sino la persona al mando de la empresa. ¿Incluiría la sección de la empresa interesada en construir la presa?

–Claro –dijo ella con calma, al tiempo que guardaba la tarjeta en el bolsillo.

No le preocupaba especialmente que Armstrong pusiera una denunciaba, pero en cambio le interesaba saber dónde se alojaba.

–¿Dónde se ha instalado?

Él suavizó su mirada, y volvió a sonreír con arrogancia.

–En casa de mi tío –tras mirarla detenidamente, añadió–: Debería venir a cenar un día de estos

–¿Qué?

Era la sugerencia más inesperada que podía haber hecho.

–Comprendo que no tenga especial aprecio a mi tío, pero no es tan malo como cree. Debería conocerlo en persona –dijo él.

Así que aquel hijo de Satanás no era tan malo como aparentaba. Ni siquiera Dan parecía creerlo. Rosebud consiguió reprimir a duras penas un resoplido sarcástico. Debía recordar que una invitación era precisamente lo que estaba buscando. O eso era lo que Joe y Emily pensaban. Era una gran oportunidad para averiguar algo que pudieran usar en su contra.

Armstrong estaba cayendo en su trampa… ¿O ella en la de él? Después de todo, era posible que los dos estuvieran jugando a lo mismo.

Él arqueó una ceja y ella sonrió mientras fingía pensárselo.

–Así que es usted un pacificador, señor Armstrong.

–El señor Armstrong es mi tío –dijo él, dedicándole una amplia sonrisa–. Por favor, llámeme Dan, señorita Rosebud.

Súbitamente, Rosebud decidió que quizá no era tan mala idea jugar a aquel juego. Después de todo, podía seducirlo con un poco de coquetería y un beso, sin darle nada a cambio, ni siquiera su cuerpo. Lo importante era mantener la posición de poder.

–Solo si tú me llamas Rosebud –dijo ella, pestañeando y consiguiendo ruborizarse levemente.

La sonrisa de Dan se hizo aún más cálida, o eso pensó ella.

—¿Te va bien el sábado por la noche? —preguntó él.

¿Dos días más tarde? Era evidente que no le gustaba perder el tiempo. Eso no le daría la oportunidad de averiguar nada sobre él antes de la cena. Eso la conduciría a la cueva del monstruo con su ingenio y su aspecto como únicas armas. Pero a veces, pensó, eso era bastante.

—Muy bien, hasta el sábado.

Si no tenía cuidado, la sonrisa de Dan iba a acabar con ella.

—¿Quieres que te recoja? —preguntó él.

Por lo visto, la caballerosidad era otra de sus características. Pero Rosebud no podía permitir que en la reserva los vieran juntos.

—No hace falta. Sé dónde está.

Él asintió en silencio, y Rosebud pudo sentir el calor que irradiaba a pesar de la distancia. Definitivamente, había un beso en el aire. Un beso que tendría que servirle para los siguientes tres años. ¿Era demasiado pedir?

—Muy bien. Nos vemos allí.

Rosebud no supo si se trataba de una amenaza o de una promesa.

Capítulo Cuatro

Dan estaba sentado en la ranchera mientras dominaba el impulso de ir a montar a Smokey. Sabiendo que los días con Cecil no serían particularmente agradables, había decidido llevar su caballo para al menos poder escapar. Un mal día siempre mejoraba tras una cabalgada, tal y como solía hacer al atardecer para revisar las torres de perforación. Aunque pagaba a sus empleados para que funcionaran con autonomía, le gustaba visitarlos en persona, mancharse las manos en el terreno. Normalmente para cuando volvía a casa, o había relativizado la importancia de un problema o había encontrado una solución.

En aquel momento, Dan necesitaba ambas cosas respecto a la cuestión del disparo, aunque casi prefería volver al lugar donde se había producido el suceso que ir a hacer un resumen de la reunión que acababa de tener y hablar de Rosebud Donnelly.

Aunque no estaba seguro al cien por cien, aquella mujer se parecía muchísimo a su princesa india. Y tenía la personalidad como para hacer algo así. La fría determinación con la que lo había mirado cuando le había mencionado el disparo, era una clara prueba de que por las venas no le corría sangre, sino agua helada. A Dan no le cabía duda de que ella era el

31

gato salvaje por el que Cecil lo había llamado. Los abogados no podían quebrarla, así que él estaba allí para seducirla, para ponerla en una situación comprometida y pasar informes a su tío.

Pero él no era ningún perrito faldero.

Su princesa. Dan intuía que la superficie y el fondo no se correspondían, que debajo de aquella fría apariencia había alguien con un profundo pesar. Lo había visto en sus ojos, como había visto que, si había sido ella quien había disparado, no pretendía matarlo.

No tenía la certeza, pero la intuición no le había fallado nunca.

Pero, ¿de qué le servía? ¿Le correspondía lanzar acusaciones tan serias como las de Rosebud? ¿Hablar de los «hombres muertos»? Cecil era un cretino, de eso no cabía la menor duda, pero no era un asesino. Una presa no representaba tanto para él.

«Todo el mundo tiene sus propias razones», oyó Dan que le susurraba su madre. Aquella era una situación en la que su sensibilidad le habría sido de una enorme ayuda. Dan tomó el teléfono intentando decidir si la llamaba. Por un lado, sus consejos valían su peso en oro; por otra, si hablaba con ella, tendría que hablarle del disparo y eso le haría adoptar el papel de madre y olvidar el de empresaria. Y si Dan podía comprometerse a estudiar los documentos con Rosebud, era gracias a que su madre se había quedado al mando de la empresa. La conclusión, por tanto, fue que no debía llamarla.

Dan intentó repasar la entrevista tal y como la habría visto su madre. A Rosebud se le había quebrado la voz y su tía Emily había posado una mano consoladora sobre su brazo. Él había acertado al intuir que había perdido a alguien; sospechaba que Rosebud podía haberle disparado para vengarse de otro disparo, más certero.

¿Le habría servido para darse por vengada? Dan sospechaba que no. Rosebud no era una mujer a la que le bastara una vez. Sonrió al pensarlo. Aun así, dudaba que volviera a intentarlo. Él la había mirado a los ojos, y aunque sus labios pudieran mentir, su mirada no lo hacía. De hecho, en ella había un mensaje muy distinto. Dan se ajustó los pantalones. No debía haberse acercado tanto a ella, tanto como para poder olerla, tan cerca de aquellos preciosos ojos. No debería haber tocado su pelo, que tenía el tacto de la seda. No debería haberle estrechado la mano.

De hecho, no debía haber acudido a la llamada de Cecil.

Pero ya no había marcha atrás y debía entrar a verlo. Tomó él sombrero, diciéndose que debía comprar uno nuevo.

−¿Cómo ha ido?

Dan ni siquiera había llegado a la puerta del comedor. Suspiró profundamente. Toda la casa apestaba a él.

Estaba tan ocupado pensando cuál era la mejor forma de referirle lo sucedido, que no se dio cuenta de que, sentado ante Cecil había un hombre con una cazadora de cuero hasta que este se puso en pie. ¿Se trataba de un indio lakota? ¿Qué hacía su tío con alguien que parecía pertenecer al grupo de aquellos que le habían demandado?

–Dan Armstrong –dijo, tomando la iniciativa. Se podían descubrir muchas cosas de un apretón de manos.

–Shane Thrasher –dijo el desconocido.

Primero le estrechó la mano con fuerza pero al instante la aflojó, como si ocultara algo. Dan decidió que no le gustaba aquel hombre, una opinión que confirmó la cálida sonrisa que Cecil dedicó al desconocido.

–Thrasher es… ¿qué ha dicho que era? –Cecil abrió una caja y sacó una gruesa carpeta. Se trataba de una caja antigua, como la casa. Un objeto que no encajaba en el despacho de Cecil.

–Medio indio Crow –dijo Thrasher, acomodándose en la silla en la que daba la sensación de sentarse a menudo.

¿Había mencionado Emily a la tribu Crow? ¿No la había nombrado en relación al general Custer? Dan pensó que necesitaba un libro de historia de primaria, pero si no recordaba mal lo que había dicho Emily, los Crow habían colaborado con los blancos contra los lakota.

–Eso es. No consigo enterarme de quién es quién –a Dan le incomodó su tono despectivo, pero Thrasher no se inmutó–. Thrasher es mi jefe de seguridad. Un hombre de la casa.

¿Jefe de seguridad? Dan lo observó detenidamente. Tenía aspecto de matón. No era difícil ver el bulto que tenía en el costado. Quizá Rosebud le había disparado. Pero quizá no había sido ella. Dan tuvo la certeza de que tenía que desconfiar de Shane Thrasher mucho más que de una preciosa y conflictiva abogada.

–Encantado de conocerlo.

Un nervio palpitó en el párpado de Thrasher, revelando que el sentimiento de animadversión era mutuo.

Cecil estaba hojeando los papeles de la carpeta.

–¿Qué te ha parecido esa Donnelly?

–Que puede ser problemática –dijo con sinceridad, aunque todavía no había decidido si podía resultar un problema bueno o malo. Quizá ambos.

Thrasher resopló despectivamente mientras Cecil marcaba algo en uno de los documentos con un bolígrafo rojo.

–¿Crees que vas a poder dominarla?

Por primera vez en su vida, Dan pensó que no estaba seguro de poder dominar a una mujer como Rosebud Donnelly, quien en una sola tarde lo había impresionado, le había puesto furioso y lo había excitado a partes iguales, lo que representaba una combinación peligrosa.

–La he invitado a cenar el sábado –Cecil arqueó las cejas y Dan añadió–: Ha aceptado.

–Así me gusta –dijo Cecil, sonriendo con una alegría demoníaca–. ¿Qué le he dicho, Thrasher?

–Estaba en lo cierto –respondió este con un tono servil que contrastaba con la crispación de su rostro.

Dan tuvo la tentación de partirle la cara, pero se limitó a apretar los brazos de la butaca.

–He pensado que debía verte como una persona y no solo como un adversario –comentó. Aunque a él mismo le costaba verlo de otra manera con la sonrisa que continuaba desplegando.

Cecil lo miró con la misma expresión que le había dedicado el día siguiente del funeral de su padre; la expresión de: «cállate y compórtate como un Armstrong».

–No me importa un carajo como me vea. No estoy haciendo ningún trabajo de beneficencia. Quiero que busques sus puntos débiles, que acabes con ella. ¿Está claro?

Dan deseó no haberse ido de Texas. Allí controlaba su entorno. Armstrong Holdings era uno de los mejores lugares de trabajo en Texas, o eso indicaban varios galardones que colgaban en el vestíbulo de la oficina central.

Pero la división de la empresa en Dakota del Sur parecía ser algo muy distinto, y a Dan le estaba resultando particularmente sórdida aquel día. Se recordó que la ausencia de ética de Cecil era una de las razones de haber acudido. Dan no estaba dispuesto a que en su empresa se usaran métodos poco ortodoxos.

–Aunque no me ha dado copias de sus archivos, va a dejarme revisarlos y tomar nota.

Un sentimiento de victoria iluminó el rostro de Cecil.

–¡Bien hecho! Te había subestimado, hijo.

«Hijo». La butaca crujió. Dan corría el riesgo de romper los reposabrazos. Thrasher tuvo el descaro de reírse.

—Tengo que ir a una colecta de fondos a Sioux Falls el sábado por la noche, así que estaréis vosotros dos solos —Cecil volvió a hacer una anotación en rojo—. Espero que consigas resultados.

Dan también, aunque prefería creer que a los que él aspiraba eran más nobles. Una «curiosidad combinada con el deseo» era mejor que una «fría y calculadora maquinación». ¿O no? Al menos no era Thrasher quien tenía que cumplir aquella misión. Claro que Dan dudaba de que Thrasher tuviera ninguna posibilidad con Rosebud. Dudaba de que le interesaran los matones.

—¿Y este? —preguntó, sin molestarse en mirar a Thrasher por temor a perder el control.

—No se preocupe lo más mínimo por mí. De hecho, dudo que volvamos a vernos, Armstrong.

Dan se puso en pie como un resorte, pero para cuando se volvió, Thrasher había desaparecido. Dan se giró hacia el otro lado con los puños apretados.

—Estamos todos en el mismo bando —se limitó a decir Cecil, al tiempo que cerraba la caja con llave.

Dan pensó que se equivocaba. Él no sabía de qué lado estaba.

Capítulo Cinco

El viejo y mellado Taurus de Rosebud consiguió llegar hasta el rancho de Armstrong. Y no hacía tanto calor como para llegar sudando en su traje de chaqueta.

Pero aparte de esos dos puntos positivos, Rosebud sentía que caminaba por una cuerda floja. La situación tenía un componente de irrealidad. ¿Estaba a punto de cenar con el mismísimo Cecil Armstrong? ¿Con Dan Armstrong? ¿Estaba tan aterrorizada como creía?

Sí que lo estaba. De haber tenido una cota de mallas, se la habría puesto debajo de la chaqueta, pero como no la tenía, se había decidido por una camiseta algo más escotada de lo habitual, de color rosa, debajo del traje gris. Esa era su idea de ir arreglada.

Podía hacerlo. ¿No era abogada? Había defendido un caso ante el Tribunal Supremo de Dakota del Sur y lo había ganado. ¿Cómo no iba a poder manejar a los Armstrong?

Tomó el maletín y puso su mejor cara. Pero antes de que llegara a la puerta, esta se abrió de par en par y de la casa salió el vaquero de sus sueños.

Llevaba una camisa blanca y la hebilla de su cinturón descansaba en el centro de sus caderas. Por una fracción de segundo, Rosebud deseó que diera media vuelta para poder verle el trasero. Le pareció que llevaba una pistolera en el costado, pero se dio cuenta de que era un móvil. Solo le faltaba un caballo blanco y que cabalgara hacia una puesta de sol.

Solo un beso, se dijo Rosebud conteniendo una sonrisa de satisfacción. Besar a Dan Armstrong no podía ser tan desagradable.

–Llegas muy puntual –dijo Dan, bajando a recibirla.

Cuando le estrechó la mano, Rosebud pensó que estaba a punto de besarla.

Quizá podría acceder a dos besos. Resopló interiormente. Aquella situación estaba volviéndola loca. Tuvo que contenerse para no colocar el maletín entre ambos, como un muro protector.

–Estoy segura de que tu tío aprecia la puntualidad.

Dan no le había soltado la mano. Seguía teniéndola caliente y seca. No estaba nervioso. Y constatarlo hizo que Rosebud sí se pusiera nerviosa.

–Supongo que sí. Pero no está aquí.

Rosebud sintió un profundo alivio al mismo tiempo que el corazón se le aceleraba.

–¿Ah, no? –dijo, preguntándose si estarían los dos solos.

En la mirada de Dan vio que la respuesta era afirmativa. La pequeña presión que ejerció en su muñeca, lo confirmó.

–Está en una colecta de fondos.

Rosebud se dijo que, como máximo, serían tres besos. Ni uno más, o se vería arrastrada hacia la peligrosa línea que la separaba del enemigo.

–Como comprenderás, cualquiera que sea el partido que intente comprar, voy a hacer todo lo que esté en mi mano para que no salga elegido.

—Estoy seguro de ello.

Era evidente que a Dan no le gustaba su tío. Pero si eso era cierto, ¿qué hacía allí, con ella?

Finalmente, le soltó la mano y dio un paso atrás. Tras mirarla de arriba abajo, enarcó una ceja.

—No se trataba de una reunión de trabajo.

A Rosebud le irritó que fuera tan observador. Si se había dado cuenta de ese detalle, también sería consciente de que era el mismo traje de dos días antes. Rosebud alzó la barbilla como si desdeñara la moda y para contrarrestar el rubor que sospechaba que coloreaba sus mejillas.

—No pensarás que la consideraba una visita social, ¿no?

—La verdad es que no —Dan le ofreció el brazo.

La caballerosidad debía sobrevivir en la parte de Texas de la que procedía. Rosebud prefirió ignorar lo halagada que se sintió. ¿Qué más daba que hiciera años que los hombres blancos la miraban con desprecio? No iba a permitir que aquel supuesto respeto se le subiera a la cabeza.

—¿Entramos? —preguntó él.

Mientras subían los peldaños de la escalinata, Rosebud tuvo la sensación de estar entrando en el infierno, y que el demonio que lo habitaba la devoraría de un bocado.

—¿Has estado aquí alguna vez? —preguntó él, abriéndole la puerta.

—Solo de paso. Nunca he entrado —dijo ella a la

vez que sus ojos se acostumbraban a la penumbra del vestíbulo.

Lo cierto era que no tenía nada de mazmorra. Todo estaba ordenado y limpio, y tenía un toque cálido, casi femenino.

–Según María –dijo Dan, mientras la conducía al extremo opuesto–, Cecil nunca entra más que en su despacho y en su dormitorio. El resto es como un museo.

–¿Quién es María?

–El ama de llaves. Ha hecho la cena –Dan abrió una puerta batiente–. Hola, María, permite que te presente a mi invitada, Rosebud Donnelly, la abogada lakota que ha demandado a Cecil. Rosebud, esta es María Villarreal. Ella es la responsable de que esta casa funcione como un reloj.

–¡Señor! –dijo, avergonzada, María, que se estaba poniendo el abrigo. Inclinó la cabeza hacia Rosebud–. Es un honor, señorita.

–El honor es mío –una vez más, Rosebud se sintió desconcertada.

¿Una casa inmaculada y una empleada encantadora? Quizá se había equivocado con Cecil Armstrong.

–La cena está en el horno, señor. ¿Necesita algo más?

Dan le dio una palmadita en el brazo, y Rosebud notó que la mujer se ruborizaba.

–No, María. Huele maravillosamente. Puedes marcharte. Da recuerdos a Eduardo y a los niños.

–Sí, señor –María tendió la mano a Rosebud–. El señor Daniel es un buen hombre, señorita.

¿Por contraste con su tío? El comentario dio lugar a que Rosebud se hiciera docenas de preguntas. Dan no podía llevar tanto en la casa, o ella habría sabido de su llegada antes de que fuera a verla a su despacho. ¿Cuánto tiempo llevaría trabajando María para Cecil? Claramente, Dan estaba desplegando sus encantos con más personas que con ella. Eso en realidad no era malo en sí mismo. No se podía juzgar a un hombre con el que se tenía una cita por como trataba al camarero. Aunque Rosebud se recordó que no se trataba de una cita como tal. Y, puesto que María se marchaba, no debía olvidarlo.

Dan sacó un taburete de debajo de una enorme isla que ocupaba el centro de la cocina y le indicó que se sentara, y aunque Rosebud pensó que se trataba de un formalismo un poco absurdo, no pudo resistirse a su sonrisa.

—¿Vamos a comer en la cocina?

—El comedor es el cuartel general de Cecil —Dan empezó a sacar platos y cubiertos antes de abrir el horno. El olor a deliciosa comida mejicana perfumó el aire—. La cocina es un lugar mucho más agradable, te lo aseguro. Espero que te gusten los tamales.

Rosebud pensó que quizá estaría más segura en el comedor. De prontos se dio cuenta de un detalle.

—¿Le llamas Cecil?

Dan la miró y sonrió haciendo una mueca.

—Se ve que sí.

—No parece que te caiga muy bien.

—Ni a mí, ni a casi nadie —Dan sacó queso y rellenó los tamales.

Un hombre guapo que sabía cocinar, pensó Rosebud, admirada. Pero no, no iba a dejarse impresionar.

—De hecho, a ti te cae mal —concluyó Dan.

—Yo ni siquiera lo conozco. Pero es tu tío.

—Desafortunadamente, no puedo hacer nada al respecto —dijo Dan con un tono pretendidamente divertido, pero con una indudable tensión. Puso un plato ante Rosebud—. Te ofrecería una cerveza, pero ese traje me dice que estaría perdiendo el tiempo.

Rosebud se permitió una sonrisa. Los ojos de Dan se clavaron en sus labios y ella se congeló. ¿La reconocía como la mujer del valle o se limitaba a observarla?

—¿Limonada? —ofreció finalmente.

Rosebud soltó el aire que había contenido subconscientemente. Peligro superado.

—Sí, muchas gracias.

—Háblame de tu nombre —Dan puso un vaso de limonada ante ella y se quedó enfrente.

Rosebud alzó la mirada y pensó que no había nada de amenazador en sus ojos, tal y como había creído intuir.

—¿Lo preguntas por si me lo pusieron por el trineo de *Ciudadano Kane*?

—Es la película favorita de mi madre —comentó Dan al tiempo que servía arroz en los platos—. Seguro que te lo preguntan muy a menudo.

—Solo los blancos.

Dan rio.

—Así que soy poco original.

Al menos tenía sentido del humor, lo que era una novedad en el mundo de Rosebud, al menos en los últimos tres años. Estaba acostumbrada a relacionarse con los abogados de Armstrong, que la trataban con un evidente desdén. Cuando estudiaba en la universidad, había coincidido con blancos con un excesivo sentimiento de culpabilidad liberal. Y en cuanto a sus vecinos... La trataban a ella y a los indios, en general, como basura.

Pero Dan no encajaba en ninguna de esas categorías.

—Tampoco necesitas ser políticamente correcto. Referirte a nosotros como indios, está bien. Yo me considero una india lakota.

Dan la observó con interés y respeto.

—De acuerdo. La cuestión es si debes tu nombre a la película o no.

Rosebud sonrió.

—Me pusieron el nombre en honor a un familiar lejano que se mudó a Nueva York en los años cuarenta. Según la leyenda familiar, Orson Wells le puso el nombre al trineo en su honor. Los dos coincidieron trabajando en la radio CBS.

—¡Qué interesante! —Dan terminó de servir la cena—. ¿Y tu apellido?

Rosebud no sabía cocinar y hacía tiempo que no probaba algo tan delicioso. Tuvo que concentrarse en la pregunta e intuyó que era una forma educada de preguntarle si era su apellido de soltera o si estaba casada.

—Una de mis abuelas se casó con un hombre blanco tras la guerra civil, y durante un tiempo solo tuvieron hijos.

—Hasta que llegaste tú.

Rosebud se quedó paralizada con el tenedor en el aire. Perdió el apetito súbitamente; dejó el tenedor sobre el plato y carraspeó.

–Tenía un hermano. El FBI consideró que su muerte había sido un suicidio.

Con el rabillo del ojo, vio que Dan apretaba el puño, y Rosebud se recriminó por usar a Tanner como objeto de lástima. De pronto sintió que lo que estaba haciendo era deshonesto. Tenía que haber otras maneras de acercarse a Cecil Armstrong. Cualquier cosa sería mejor que aquella cena íntima con su sobrino.

–Haré averiguaciones –dijo Dan finalmente.

–Eso dijiste –Rosebud intentó superar la incomodidad que le había causado sacar aquel tema, pero fracasó.

Dan se giró sobre el taburete y le puso la mano en el hombro.

–Hablo en serio.

Rosebud habría querido creerlo, pero demasiados hombres en su vida, blancos o indios, habían roto sus promesas. Sin embargo, algo en la mirada de Dan le hizo creer que quizá él era diferente.

De la misma manera que cuando le había estrechado la mano, sintió el calor que irradiaba de ella recorrerle el brazo y alcanzarle el pecho. A pesar de la confusión que sentía, era consciente de la tensión sexual que había entre ellos. Esbozó una sonrisa y él se la devolvió, al tiempo que le deslizaba la mano por el brazo y le daba un apretón afectuoso.

Rosebud se inquietó. Si no tenía cuidado, tanta sonrisa, tanta promesa y tanto contacto iban a quebrarla. No podía permitirse aquella distracción añadida a las dificultades con las que estaba lidiando.

–¿Eres un hombre de palabra?

–Desde luego –Dan continuó el movimiento de sus dedos sobre su brazo y ella sintió que le quemaban a través de la chaqueta. Refiriéndose a la comida, él dijo–: Se va a enfriar.

Afortunadamente, seguía templada y estaba exquisita, y mientras comía, Rosebud tuvo tiempo de poner en orden sus pensamientos. Cuando prácticamente había terminado, se animó a introducir un tema menos comprometedor.

–Por favor, dile a María que todo estaba delicioso.

–Le encantará.

–¿Desde cuando la conoces?

–Desde hace una semana.

Eso respondía su pregunta de cuánto tiempo llevaba Dan allí y justificaba que ella no hubiera oído nada al respecto.

–¿De verdad? Parecéis viejos amigos.

Dan sonrió.

–Mi madre me enseño a tratar bien a todo el mundo, aunque fuera alguien del servicio o el rey del universo –su sonrisa adquirió un toque de arrogancia–. Además, le doy un dinero extra. Mi tío sigue pagándole lo mismo que cuando la contrató.

A Rosebud no le sorprendió.

–Por lo que dices, tu madre es una mujer muy sabia –comentó, confiando en haber usado el tiempo verbal adecuado.

–Sí que lo es. Es la vicepresidenta ejecutiva de la compañía. Dirigimos la división de la empresa de Texas como un equipo. O lo hacíamos hasta que este asunto de Cecil me ha obligado a venir –Dan rebuscó en el frigorífico–. Creo que María ha hecho una tarta. ¿Quieres?

–Sí, por favor. ¿Va a venir tu madre a visitarte? –preguntó Rosebud, pensando que le gustaría conocer a la mujer que había educado a aquel encantador de serpientes.

–Jamás iría a una casa de Cecil.

Era fascinante ver cómo pasaba de la provocación a la seriedad, de estar parlanchín a callar.

–Supongo que se trata de una larga historia.

–No tanto larga como antigua. Mamá eligió a papá en lugar de a Cecil, y este no le ha perdonado nunca. Ni siquiera vino al funeral de mi padre.

–¿Y trabajas para él? –preguntó Rosebud espontáneamente.

Dan le sirvió un trozo de tarta y se sentó en el taburete. Cuando la miró, Rosebud percibió un peligro en su mirada que no sabía si era propio de él o si lo despertaba ella.

–Yo no trabajo para Cecil. Heredé la parte de mi padre del negocio familiar. Soy dueño de la mitad de esta casa, de los derechos del agua y del proyecto de la presa. Esta compañía es tan suya como mía.

Rosebud se dio cuenta de que había tocado un punto sensible y se preguntó si Cecil interpretaba la situación de la misma manera.

–Pero le estás ayudando.

Dan la miró con un fuego de ira en los ojos.

–Estoy ayudando a mi empresa.

Rosebud no pudo resistirse a presionar un poco

más aunque supo que era peligroso. Saber que a Dan no le gustaba su tío podía ser un arma. Las probabilidades de convencer a Dan de que abandonara el proyecto eran mínimas, pero debía arriesgarse.

—Pues has de saber que tu empresa va a inundar mi reserva.

Dan apartó la mirada y, por un instante, pareció estar a punto de reconocer que tenía razón. Pero entonces dijo:

—Se trata de un terreno de interés publico sobre el que se puede ejecutar el derecho de expropiación.

Así que había hecho los deberes, y los dos sabían quién saldría perdedor. El gobierno le entregaría el terreno a Cecil porque los políticos sabían que tenían más posibilidades de ser elegidos si podían ofrecer tarifas eléctricas más bajas. Era la vieja historia de que los blancos necesitaban la tierra más que los indios. Y sin embargo, Rosebud vio a Dan tan abatido, que tuvo el impulso de consolarlo.

—No me daré por vencida sin presentar batalla —dijo ella, posando la mano en su antebrazo.

Él dejó el tenedor sobre el plato lentamente y tomó la mano de Rosebud, quien pensó que, de no estar sentada, se habría caído al suelo.

—No lo dudo —dijo él sin el menor asomo de irritación—. La cuestión es, ¿qué tipo de batalla?

Rosebud sintió que tres largos años de soledad la ahogaban y sin poder evitarlo, se inclinó hacia él, lo bastante cerca como para poder ver una leve cicatriz en su mejilla y como para que su cabello le hiciera cosquillas en la nariz.

–Puedes mirar en mi maletín. Verás que no llevo ningún arma.

Él se llevó la mano de Rosebud a su sólido pecho y rozó con sus labios los de ella.

–Eres demasiado lista como para venir aquí armada.

¿Lista ella? ¿Y estaba en la cocina de Cecil Armstrong, besando a su sobrino, un hombre al que acababa de conocer y al que había disparado? Aunque tampoco él debía ser mucho más listo si pensaba que era ella quien le había atravesado el sombrero con una bala, a unos centímetros de su cabeza.

¿Qué tipo de hombre trataba de seducir a una mujer que consideraba armada y peligrosa? ¿Qué tipo de hombre trabajaba con Cecil Armstrong? ¿Qué tipo de hombre era Dan Armstrong?

Un hombre al que deseaba besar. Esa era la pura y simple verdad.

En lugar de actuar con determinación o agresivamente, pareció pedirle permiso. Su beso no fue el de un enemigo, sino algo… completamente diferente. Aunque le apretó la mano, esperó a que ella hiciera alguna señal. Con la otra mano le acarició la mejilla delicadamente. Una sacudida eléctrica la impulsó hacia él. Esa debió ser la señal, porque Dan le pasó la lengua por los labios, y Rosebud perdió la noción de la realidad al instante para recordar, en cambio, lo que era ser mujer. El deseó despertó en ella, prendiendo en su boca, en sus senos y más abajo, hasta convertirse en una hoguera que la quemaba y hasta que lo único que quiso fue comprobar hasta dónde les llevaba aquel beso.

Capítulo Seis

Dan no tenía planeado besarla... al menos antes del postre. Pero cuando ella le había tocado a la vez que le decía que lucharía hasta el final, había sentido la tentación de acabar aquella discusión en la cama. Se suponía que tenía que romper sus defensas y descubrir sus puntos débiles para explotarlos. Pero estaba sucediendo lo contrario. De hecho, el asunto que la había llevado hasta allí le resultaba indiferente. Solo sabía que la tenía y que quería besarla y saborearla.

Rosebud asió su camisa y tiró suavemente de ella al tiempo que abría los labios. Dan sintió la sacudida que la recorrió cuando sus lenguas se tocaron. Por un segundo tuvo la certeza de que iba a tener suerte, y su cuerpo reaccionó al instante.

Pero de pronto sus labios ya solo rozaban el aire. Con la misma mano con la que lo había atraído, Rosebud lo empujó con fuerza, se puso roja como un tomate y clavó la mirada en la tarta.

Igual que hacía un segundo sus labios y sus manos le había dicho que «sí», pasaron a decir que «no». Dan apretó los dientes e intentó dominar la excitación que había endurecido su sexo. La expresión de Rosebud indicaba que se arrepentía, y eso le dejó un sabor amargo en la boca.

–No debería haberlo hecho –dijo él a modo de disculpa.

Rosebud aprovechó para ponerse en pie de un salto.

–Debería marcharme –dijo, mirándolo con frialdad–. Ahora mismo.

Dan se dio cuenta de que no tenía sentido hacerle cambiar de idea.

–Te acompaño al coche –dijo.

Ella no ofreció resistencia, pero caminó varios pasos por delante de él hasta llegar a la verja. Solo entonces se volvió.

–Gracias por la cena. Por favor, dale las gracias a María.

–Recuerda que iré a tu despacho el lunes, a las nueve –dijo él.

Aunque el sol se estaba poniendo, pudo ver el brillo de rabia que iluminó sus ojos. Pero tal y como le había dicho, él era un hombre de palabra, y necesitaba recabar información sobre su hermano para poder decidir cómo actuar.

–A no ser que tengas algún problema.

Ella tardó en contestar, pero mantuvo la mirada sin pestañear. Era comprensible que Cecil hubiera tenido que recurrir ya a tres abogados. Enfadada, Rosebud Donnelly, resultaba intimidante. De hecho, Dan se alegró de que no fuera armada.

–Claro que no. Después de todo, estás haciendo tu trabajo –dijo, finalmente.

Mientras se alejaba, las últimas palabras de Rosebud reverberaron en los oídos de Dan. «Hacer su trabajo», expresado de aquella manera, le hacía sentir como una rata.

Cuando se volvió para que entrara en la casa, una luz naranja llamó su atención. Se trataba de un pequeño punto de luz tras unos arbustos y como a un metro ochenta del suelo. Tan rápido como lo vio, desapareció.

Dan recordó las palabras de Thrasher: «Dudo que volvamos a vernos» y el vello se le erizó al darse cuenta de que su tío estaba haciendo que lo siguieran. La furia lo poseyó con una fuerza parecida a la que había sentido al poco de morir su padre, cuando Cecil fue a ver a su madre y le dijo que si no se casaba con él, le quitaría su parte de la empresa. Por aquel entonces, él solo tenía dieciséis años, pero junto con su madre, había conseguido que la junta directiva se pusiera de su lado.

Si no había dejado que Cecil se saliera con la suya entonces, mucho menos lo consentiría en el presente.

Caminó lentamente hacia la casa. No valía la pena dejar que Thrasher supiera que lo había visto. Odiaba a este, a Cecil y la tarea que le había encomendado.

Lo único que no odiaba era el beso que le había dado a Rosebud.

Pasó el resto del sábado rebuscando en la cocina por si había micrófonos o cámaras escondidas.

Tenía muy claro de qué lado estaba.

***

–Buenos días, señor Armstrong –Dan apenas había entrado y la recepcionista ya le llevaba una taza de café. Aquel día no pensaba tomar más de dos –. La señorita Donnelly lo está esperando.

–Gracias… Judy.

La amable sonrisa de esta le confirmó que ese era su nombre.

Judy lo condujo a la miserable habitación donde se habían reunido anteriormente, y le sorprendió ver que Rosebud lo esperaba.

–Buenos días –saludó sin mirarlo–. Llegas muy puntual.

A Dan no le gustó que sonara tan fría y tan distinta a la mujer a la que había besado dos noches antes.

–Pensaba que apreciarías la puntualidad.

Rosebud alzó la mirada y esbozó una sonrisa. Dan se preguntó cómo era posible que incluso en una habitación tan horrorosa, lograra resplandecer. Pero la sonrisa se borró al instante y Dan se preguntó si llevaría un revolver en el maletín.

–¿Estas son las carpetas? –preguntó.

–No todas. Pero por hoy serán suficientes.

–¿Y qué carpetas son estas?

–¿A qué te refieres?

–Tratan de Cecil, de la presa o de la policía.

Aquella vez no obtuvo ninguna reacción. Rosebud no iba a dejar abierta la más mínima rendija hacia un trato más personal.

–Son informes policiales –comentó, mientras anotaba algo–. Asumo que vas a mantener tu palabra.

–Desde luego –dijo él, acomodándose en la silla

defectuosa. Al hacerlo, esta sonó como un maullido y Dan vio la sonrisa que Rosebud se esforzaba en contener–. ¿Te diviertes?

–Mucho.

Dan pensó que no le importaba hacer el ridículo si con ello conseguía arrancarle alguna sonrisa.

Tomó la primera carpeta de una pila y comenzó a leer un informe policial:

Tanner Donnelly, hombre, veintiocho años cuando su tía, Emily Mankiller, lo encontró, hace cuatro años, con un calibre veintidós en la mano y una bala en la sien. Lo sobrevivieron su tía y su hermana, Rosebud. Ambas mujeres decían que había desaparecido su placa metálica de identificación, pero la policía no la había encontrado.

El agente del FBI al mando de la investigación había sido Thomas Yellow Bird, sobre el que Rosebud tenía una carpeta. Se trataba de un conocido de Tanner, que había ido tan lejos como le habían permitido sus superiores. También había una larga secuencia de correos y llamadas a James Carlson, que era fiscal federal en Washington.

Mientras tomaba notas, Dan pensó que algo no encajaba. ¿Cómo era posible que Rosebud tuviera contactos en Washington?

Además de los informes policiales y de FBI, había otra carpeta con notas y entrevistas, algunas escritas en ordenador y otras, a mano, con una delicada caligrafía.

Para cuando Dan terminó con aquella carpeta, estaba seguro de saber casi todo sobre Tanner Donnelly, desde los cereales que solía desayunar, al nombre de la chica con la que se había dado su primer beso. Parecía un tipo agradable. Si las notas de Rosebud eran correctas, y Dan no tenía motivo para dudarlo, comprendía que no aceptara el veredicto de suicidio.

Sin embargo, lo que no había encontrado era nada que pudiera vincular su muerte a Cecil o a Thrasher.

Cuando se inclinó sobre el respaldo de la silla y se frotó los ojos, vio que Rosebud lo observaba.

—¿Y bien?

—No haría bien mi trabajo si no fuera muy meticuloso.

Rosebud ladeó la cabeza al tiempo que golpeaba la mesa con el bolígrafo. Dan tuvo la sensación de estar siendo examinado.

—¿Eso es lo que le dijiste a tu tío?

—¿Perdón?

—Que si ese es el parte que le diste a tu tío sobre nuestro encuentro. Estoy segura de que sentía... curiosidad por saber si habías cumplido la misión que te había encomendado.

Dan tuvo la impresión de que Rosebud se sonrojaba.

—¿Me preguntas si le dije que te besé?

No se había equivocado. El rosa se intensificó a la vez que Rosebud miraba hacia la puerta, alarmada.

—Eso era lo que tenías que conseguir, ¿verdad? No soy idiota.

Dan temió seriamente que estuviera armada.

–Si alguien piensa que lo eres, sí debe serlo.

La idea de que pensara que era un felpudo de Cecil le resultó repulsiva. Rosebud respondió al halago con una mueca.

–No has respondido a mi pregunta.

Dan no estuvo seguro de si era la mujer o la abogada la que necesitaba sentir que controlaba la situación.

–Hablas como si mi empresa hubiera besado a tu tribu.

Por un instante, Dan vio que Rosebud dudaba.

–¿No era esa la idea?

Arriesgándose a que la silla se rompiera e ignorando el chirrido que le arrancó, se inclinó hacia Rosebud lo bastante como para notar que se mordisqueaba el labio inferior.

–¿No se te ha ocurrido que a lo mejor estaba besándote a ti?

A excepción del rubor que se esforzaba en contener, Rosebud se mantuvo impertérrita. Ni siquiera se molestó en echarse hacia atrás.

–¿Se da cuenta tu tío de la diferencia?

Lo que era una manera indirecta de pedirle que contestara de una vez a su pregunta. Dan sonrió y sacudió la cabeza, confiando en no irritarla aún más.

–¿Quieres saber qué le dije?

–Por favor –dijo ella, irguiéndose.

Dan la miró fijamente. Si Cecil escuchara lo que estaba a punto de decir, lo acusaría de traición. Pero ya que no había encontrado micrófonos ni en la cocina ni en su dormitorio, confiaba en que tampoco los hubiera allí.

–Le dije que eras más dura de lo que creía, que no era fácil conquistarte y que necesitaba más tiempo.

Rosebud guardó silencio, pero no reaccionó.

–Comprendo –dijo finalmente–. ¿Le has dado a entender cuánto tiempo necesitarías?

Dan decidió lanzarse.

–Me ha dicho que la próxima cita en el juzgado es dentro de cinco de semanas.

–Deja que adivine: antes de esa fecha espera que me hayas quitado de en medio –dijo con tensión añadida.

–Eso es lo que él quiere.

Rosebud se quedó inmóvil. Mantuvo el bolígrafo en el aire y ni parpadeó. Cuando habló, lo hizo en un susurro.

–¿Qué quieres tú?

Esa era una buena pregunta. Pero Dan no estaba dispuesto a contestarla sentado en aquella silla del demonio. Se puso en pie lentamente y fue hasta la ventana.

–¿Sabes que el lema de Google es «no seas malvado»?

Rosebud resopló.

–Es muy noble, pero un tanto ingenuo.

–No, ingenuo fui yo al pensar que podía separar las ganas de besarte y que tu tribu haya demandado a mi empresa –dijo Dan.

Y la realidad era que habría querido salir de allí, olvidar el contexto y que fueran solo Dan y Rosebud, en lugar de una empresa y una tribu. Querría deshacerle la trenza, quitarle... Por primera vez se dio cuenta de que llevaba el mismo traje que en los dos encuentros anteriores. ¿solo tendría un traje? Debía haberse quedado mirándola, porque Rosebud empezó a recoger papeles para ocultar su incomodidad. Luego fue hacia la puerta y, tras despedirse, se fue.

En cuanto los ojos de Dan se hicieron al resplandor de la luz exterior, notó la presencia de un hombre con gafas de sol y traje negro. Aunque parecía un indio lakota, si lo era, parecía preferir ocultarlo. Dan pensó que aquel lugar había tenido un extraño efecto en él, porque al caminar hacia el desconocido, lamentó no estar armado.

–¿Dan Armstrong?

–Depende de quien lo pregunte.

–Tom Yellow Bird –dijo el hombre. Y al tenderle la mano, su chaqueta se abrió, dejando ver la culata de un arma.

–¿En qué puedo ayudarle, señor Yellow Bird?

–He oído que está interesado en el caso Donnelly.

–Veo que los noticias vuelan.

–La reserva es pequeña. Y lo va a ser aun más si Cecil Armstrong se sale con la suya –tras una pausa, añadió–: ¿Ha conocido a Rosebud?

–Sí. ¿Y usted?

–Conocía a su hermano –dijo, como si Rosebud fuera para él la pequeña e irritante hermana pequeña de su amigo, una imagen que hubiera hecho sonreír a Dan de no haber estado tan concentrado–. Perdimos a un gran hombre.

El uso del plural hacía referencia a la tribu.

–¿No cree en el veredicto de suicidio?

–Oficialmente, eso es lo que pasó –se rascó la garganta–. ¿Sabe que en un año la tierra que pisamos estará inundada? –tras que Dan asintiera, continuó–: Extraoficialmente, las cosas a veces no son lo que parecen.

Y con aquellas palabras, el hombre subió a su coche y se marchó. Dan se volvió para ver si alguien había sido testigo del encuentro, pero no vio a nadie.

¿Qué demonios habría querido decir? En cierta medida, Dan intuía que estaba más relacionado con Armstrong Holdings que con Tanner Donnelly, y que Yellow Bird había querido dejar una puerta abierta, pero no tenía manera de estar seguro de si acertaba o se equivocaba.

El resto de la semana fue en parte mejor y en parte peor para Rosebud. Cada mañana, mientras Dan revisaba los documentos, ella trabajaba en la defensa de la tribu ante el juez.

El martes, Dan llevó galletas de chocolate caseras; el miércoles, *brownies,* y el jueves, pastas, para toda la oficina. Para el viernes, sabía el nombre de todo el mundo y llevó rollitos de canela para la tía Emily. Rosebud no sabía si solo era una manera de ablandarla o si se había enterado que llevar regalos era una costumbre lakota, pero en cualquier caso, la estrategia estaba funcionando. Por eso mismo, se mantuvo a la defensiva, aunque intuía que era un esfuerzo innecesario. Dan actuaba como un perfecto caballero, no hacía el menor ademán de tocarla y mucho menos de besarla. De hecho, actuaba como si el beso nunca hubiera tenido lugar. Solo charlaban sobre temas impersonales, y Rosebud se alegraba de que pareciera creer su versión sobre Tanner.

Rosebud decidió que era verdad que no le había hablado del beso a su tío, y sabía que debía alegrarse de que actuara con tanta caballerosidad. Pero lo cierto era que no dejaba de soñar con él y que se despertaba sudorosa y acalorada.

Para cuando llegó el viernes, estaba irritable y nerviosa. Afortunadamente, durante el fin de semana, no tendría que verlo. Si el coche no le fallaba, pensaba acercarse a la universidad de Dakota del Sur.

Quería averiguar lo más posible sobre Dan Armstrong, y para ello necesitaba un ordenador con acceso a Internet.

Solo le quedaban cuatro semanas.

Capítulo Siete

Dan observaba el plano, comparándolo con el informe de los ingenieros, mientras Virgil Naylor, el jefe de Naylor Engineering, le señalaba distintos detalles. Se trataba de un hombre nervioso, al que el silencio de Dan parecía inquietar.

Algo no encajaba, pero no era fácil que Naylor le diera la información que buscaba. Dan señaló una nota al pie de página en el informe.

–Pero aquí dice que una presa que aprovechara la corriente del río, con embalsamiento ocasional, proporcionaría los mismos megavatios.

–Si se dieran las condiciones óptimas –dijo Naylor, rechazando la idea con un ademán.

–¿Y por qué no se intenta?

Parecía lo más lógico. Con una presa así, no haría falta inundar ni el valle ni la reserva.

Naylor hizo una mueca.

–Porque con ese tipo de presa no se puede acumular electricidad.

–¿Y cuál es la relación coste beneficio de esa acumulación?

Naylor se puso tenso.

–A lo largo de la vida de una presa, una media de 0,019 céntimos de ganancia por cada kilovatio.

Dan hizo un calculo rápido de acuerdo al resto de los datos.

–Eso representa una diferencia de menos de tres mil dólares al año.

–Señor Armstrong, estoy seguro de que comprende las ventajas del almacenamiento hidroeléctrico… –Naylor explicó todas las razones que defendían su postura por tercera vez en dos horas.

Dan pensó una vez más que aquella no era forma de pasar un sábado y se preguntó si su ingeniero Dan Evans estaría dispuesto a acercarse a estudiar el informe y los planos.

En ese momento sonó su teléfono y lo contestó aliviado.

–¿Dan? Soy Rosebud.

Dan pensó que las galletas estaban surtiendo efecto y tuvo que reprimir una sonrisa de satisfacción a la vez que se disculpaba para ir a hablar en privado.

–¿Qué pasa? –preguntó.

–Verás –dijo ella, nerviosa–, se me ha estropeado el coche y eres el único que puede recogerme.

Una damisela en apuros… Y lo llamaba. O Rosebud estaba muy desesperada o… Dan prefería no pensar.

–Estoy a punto de terminar una reunión. ¿Dónde estás?

–¿Sabes dónde está la universidad de Dakota del Sur?

–No, ¿qué haces ahí?

–Documentarme… ¿puedes recogerme o no?

–En cuanto acabe. Dame quince minutos.

–Estoy en el aparcamiento de detrás de la biblioteca. Tardarás una hora.

–Entonces, hasta dentro de una hora.

Dan se quedó mirando el teléfono, preguntándose si en Dakota del Sur había una facultad de Derecho.

–Señor Armstrong –Naylor salió al porche–. ¿Tiene más preguntas?

–Solo una –Dan tardó unos segundos en volver a concentrarse en el ingeniero–. ¿Con quién más ha hablado de la posibilidad de una presa de agua fluyente?

El hombre se puso rojo.

–Le aseguro que todo el trabajo que hacemos en Naylor Engineering es totalmente confidencial.

–¿No se lo ha dicho a ningún miembro de la tribu lakota?

–Claro que no –Naylor dijo, indignado–: Esos… salvajes destrozaron material por valor de varios miles de dólares. Jamás me relacionaría con ellos.

Sonaba como Cecil, y Dan se preguntó si ese era un sentimiento generalizado, y si esa era la razón de que Rosebud lo hubiera rechazado. ¿Temía que la considerara una salvaje? Mientras observaba al ingeniero subir en un coche, se dijo que estaba claro quién era el verdadero salvaje, y no se trataba de una preciosa abogada.

Dan tardó una hora y media en llegar al aparcamiento de la universidad. Rosebud estaba sentada dentro del coche, apretando el volante con tanta fuerza que tenía los nudillos blancos. Llevaba el pelo suelto y vestía una camiseta verde pálida gastada. Parecía una joven estudiante en lugar de una excelente abogada.

Cuando lo vio, salió del coche precipitadamente, mirando alerta a su alrededor. Dan se preguntó por qué estaría tan asustada, pero al verla desperezarse pensó que había sido una impresión equivocada.

–Hola –dijo ella con una tímida sonrisa. Alzó la mirada por encima de la cabeza de Dan y su sonrisa se amplió–. Bonito sombrero.

Él se llevó la mano al ala a modo de saludo.

–Espero que me dure intacto el mayor tiempo posible.

Rosebud ladeó la cabeza y la cortina de seda que era su cabello le cayó por el hombro.

Dan recordó la imagen del valle. Tenía que ser ella. Había ignorantes que decían que todos los indios eran iguales. Pero a él nadie lo había mirado como lo hacía ella. Se preguntó una vez más por qué le habría disparado y, por si acaso, miró hacia el interior del coche. No había ningún arma.

–Sigo haciendo averiguaciones –dijo ella– y al terminar el coche no arrancaba. Al venir me ha parecido que hacía un ruido raro, pero confiaba en poder volver a casa.

Rosebud abrió el capó y Dan vio al instante que tenía mal aspecto. Había dos correas rotas y, por cómo sonó el arranque, dedujo que la batería estaba descargada.

–¿Cuándo lo has llevado al taller por última vez?

–Hace varios años.

–¿Años? –Dan sacudió la cabeza y Rosebud hizo un mohín–. No sé ni cómo has llegado.

Rosebud alzó la barbilla, desafiante, pero al mismo tiempo, metió las manos en los bolsillos traseros y dijo:

–Qué suerte que hayas podido venir.

Dan no creía pecar de arrogante si pensaba que era un buen intérprete de las señales del sexo opuesto, y estaba seguro de que, entre líneas, lo que Rosebud había dicho era: «Noche de sábado… juntos en la ciudad».

–Entonces, los dos somos afortunados –dijo.

Rosebud lo miró de arriba abajo, tomándose su tiempo, y en lo que Dan habría descrito como un ronroneo, dijo:

–Eso ya se verá.

Dan pensó que quizá era imposible llegar a conocer a aquella mujer, pero que intentarlo, iba a ser fascinante.

–¿Has llamado a la grúa?

Rosebud cambió de actitud y volvió a tensarse.

–No.

–¿Por qué?

Parecía avergonzada, incómoda.

–Joe vendrá a recogerlo.

–¿Cuándo?

El silencio de Rosebud le sirvió de contestación. Aquella antigualla de hierro podía pasarse allí varios días; y quizá alguien lo recogería como chatarra.

Dan comenzó a marcar un número.

–Voy a llamar al seguro.

–No –Rosebud le sujetó la muñeca precipitadamente –. Por favor, no lo hagas.

–¿Por qué? –preguntó él preguntándose si notaría cómo se le aceleraba el pulso.

–No he destinado los fondos correspondientes a una situación como esta.

«¿Destinado los fondos?». Dan tardó unos segundos en interpretarlo.

–¿No tienes dinero para reparar el coche?

Rosebud le soltó la muñeca, retrocedió y miró a su alrededor como un animal acorralado.

–No, no tengo dinero.

Una fotocopiadora estropeada, un único traje, un coche destartalado. Era una verdadera dama en apuros. No tenía dinero. Punto. Y Dan supo al instante lo que debía hacer.

–Te equivocas –dijo, volviendo a marcar.

Rosebud lo miró alarmada, pero él alzó la mano para acallar posibles protestas.

–No puedo…

Dan oyó una voz al otro lado del teléfono.

–Necesito una grúa para llevar mi coche al garaje.

Para cuando terminó de hablar, se sentó junto a Rosebud, que estaba en el bordillo, con la barbilla apoyada en las rodillas. Parecía nerviosa.

–¿Me crees si te digo que nadie sabe que estoy aquí?

Ella se encogió de hombros.

–¿Puedo creerte?

–Desde luego, porque es la verdad.

Por el rabillo del ojo, Dan vio que sonreía.

–Soy abogada, Dan, la verdad es un concepto muy relativo.

–Yo soy más de blanco y negro. Mi madre me dijo que eso hacía mucho más fácil mentir sobre los grises –dijo él–. Y la verdad es que no le he hablado a nadie del beso. Cuando te fuiste, busqué micrófonos en la cocina y no encontré ninguno. Hoy he contestado a tu llamada donde nadie pudiera oírme y no le he dicho a nadie a donde iba.

–¿Y cual es el área gris en todo esto?

Dan miró hacia adelante. El sol se estaba poniendo y las sombras se alargaban.

–Voy a tener hambre pronto. Pararemos en el camino a cenar. Pago yo.

Rosebud se puso en pie y retrocedió, una vez más, como si estuviera acorralada.

–No puedo…

Dan le tomó la mano, y aunque ella la tensó como si fuera una barra de hierro, no la retiró.

–Puedes y vas a hacerlo. La zona gris en esto es que hoy tenemos una cita –al ver que ella tiraba de la mano, Dan se apresuró a decir–. Quiero decir que estamos solos tú y yo: sin tíos, ni tías, ni empresas, ni tribus.

–¿Y si digo que no?

–No serías la primera.

Rosebud se mordisqueó el labio.

–Solo te quedan cuatro semanas. ¿Y si te desesperas y terminas contándolo?

–Puede que me desespere –admitió Dan. Luego,

acercándose a ella, le acarició la mejilla con el pulgar, y añadió–: Pero por una razón muy distinta.

Rosebud le dejó besarla, le dejó entrelazar sus dedos con los de ella y pegarse tanto a ella como para sentir sus pezones endurecerse contra su pecho. El cuerpo de Rosebud estaba diciendo que sí a una cita y a mucho más. Pero como Dan no sabía lo que diría su boca, fue cauteloso. No había sido más que un beso. Ojalá el resto de sus circunstancias fueran tan simples.

Un bocinazo los hizo saltar.

–Oiga, ¿han pedido una grúa? –dijo el conductor, asomándose por la ventanilla.

–Piensa en la cita –susurró Dan, soltando la mano de Rosebud.

–De acuerdo.

Capítulo Ocho

El coche de un hombre daba muchas pistas sobre su personalidad.

Rosebud acarició el suave cuero del asiento, inspeccionando el vehículo disimuladamente. Dan le había dado las llaves para que la esperara en él, después de que el conductor de la grúa la llamara «cariño».

El interior estaba inmaculado. No había ni papeles, ni latas vacías, ni una mota de polvo en el salpicadero de nogal. En el lateral trasero colgaba un rifle que no parecía cargado, y Rosebud se preguntó si siempre lo llevaría consigo o si era una nueva adquisición tras el pequeño «incidente» del disparo. Aunque no sabía nada de rifles, estaba segura de que con lo que aquel costaba podría comprarse una casa.

Se sintió fuera de lugar. Solo en la universidad se había codeado con gente de dinero, pero ni siquiera su novio James se había acercado al nivel de Dan. Ella, que estaba a un paso de la pobreza, no comprendía qué interés podía tener alguien como él por ella.

Empezó a impacientarse. ¿Por qué tardaban tanto? Miró por el espejo retrovisor. Dan estaba inclinado sobre el motor y señalaba, mientras el mecánico sacudía la cabeza con vehemencia, y Rosebud sintió un nudo en el estómago. Por muy viejo que fuera,

era el único coche que tenía y no podía permitirse comprar otro.

Quizá había cometido un error al permitir que Dan se ocupara del pago de la grúa… y que la invitara a cenar como si tuvieran una cita formal. ¿Esperaría algo a cambio por hacerle un favor?

Rosebud se estremeció. Sabía que era encantador, guapo y que su objetivo era atraparla. Pero a pesar de todo, y de lo que le decía la razón, tenía la intuición de que era absolutamente sincero con ella.

Repasó la conversación telefónica. Dan no había mencionado su nombre ni había dado ningún detalle que indicara que hablaba con ella. Él quería una cita y a ella le apetecía aceptarla. Era una lástima que se apellidara Armstrong.

¡Cómo podía haberse metido en semejante lío! Solo había una forma de poner a Dan a prueba, así que sacó su cuaderno de notas antes de que Dan volviera al coche.

–Te llamará cuando el coche esté listo –dijo, dejando el sombrero en el salpicadero. Al darse cuenta de que la canción que sonaba era *Pólvora y plomo*, añadió a la vez que arrancaba–: ¿Es un mensaje subliminal?

El motor ronroneó y Rosebud pensó que debía ser maravilloso tener un coche tan silencioso, que arrancaba a la primera.

–Pura coincidencia –dijo–. Al contrario que la protagonista de la canción, no soy una exnovia celosa.

Dan la miró tan prolongadamente que Rosebud se sintió en el banquillo de los acusados.

–Nunca habría pensado que lo fueras –dijo él, antes de sonreír de oreja a oreja y dar marcha atrás–. Vas a estar varias semanas sin coche.

Aunque fuera un grave inconveniente, Rosebud pensó que al menos en la reserva podría montar a Scout.

–¿Dónde vamos? –preguntó Dan.

Rosebud se dijo que aceptar una cita no era tan grave. Después de todo, eran dos adultos que podían cenar y quizá darse otro beso… Todavía le quedaba uno pendiente y confiaba en que fuera bueno. Intentó pensar en un restaurante en el que Dan se encontrara cómodo, pero durante sus años de carrera no había tenido la oportunidad de salir a cenar a ningún sitio caro.

–No tiene por qué ser un sitio de lujo –dijo él interpretando acertadamente su silencio–. Mientras haya carne, me parecerá perfecto.

Rosebud recordó que Tanner solía ir con Tom Yellow Bird a un lugar llamado Bob's Roadhouse.

–Sé de un sitio que debe estar bien. Gira a la izquierda y toma la autopista. Por cierto, creo que he encontrado lo que buscaba.

–¿Ah, sí? ¿Has descubierto los trapos sucios de Cecil?

–No –a Rosebud le encantó tomarlo por sorpresa–. He averiguado cosas sobre ti.

Dan frenó en seco en una intersección.

–¿Sobre mí? –preguntó él, incrédulo.

–Sí. Hasta ahora no había podido documentarme –Rosebud se preguntó si lo admitiría todo o si formaría parte de la zona gris de la que le había hablado–. Tienes un largo historial público.

71

Dan suspiró con resignación y se acomodó contra la ventanilla.

–¿Has encontrado el póster?

–¿Te refieres a este? –Rosebud sacó de la carpeta la fotocopia en la que apenas se veía lo que en el original se apreciaba con toda claridad: un sonriente niño de rizos rubios junto a un pozo petrolífero–. Así que fuiste, literalmente, el rosto de Armstrong Oil.

–Ten en cuenta que tenía siete años y que mi padre me compró un helado por sonreír –Dan tamborileó sobre el volante–. Creo que fue de menta y chocolate. Lo malo fue que usaron el póster durante unos diez años. Todas las chicas con las que fui al instituto tenían uno en su casillero.

–¿Y te molestaba resultar tan mono?

–Lo odiaba. Por eso hice lo posible para romper esa imagen.

–Puede que estar cuatro años consecutivos en la orla de honor sirviera de algo, ¿pero y el equipo de rodeo? ¿Por qué no hiciste fútbol?

–Mamá lo consideraba demasiado peligroso.

–¿Y el rodeo no? Nunca lo habría pensado.

Los resultados que había obtenido en ese campo eran espectaculares.

–He dicho que era más seguro, no que fuera seguro –explicó él–. Tienes que tener en cuenta que ella hacía carreras de barriles. ¿Acaso tú no has hecho nuca nada un poco irresponsable? –preguntó, mirándola fijamente.

–¿Cuenta esto? –preguntó ella, refiriéndose a estar en el coche con él.

–Todavía no –dijo Dan. Y aun en la penumbra, Rosebud percibió que sonreía con malicia–. ¿Por qué te has molestado en venir hasta aquí para averiguar esas cosas? Si me lo llegas a preguntar, te lo habría contado yo mismo.

–¿Ah, sí? –Rosebud pasó a temas más peliagudos–. ¿Qué me cuentas de la universidad?

–¡Dios mío! –gimió él–. Recuérdame que no me enfrente nunca contigo en un juzgado.

–No te lo tomes como si la tribu te preguntara por qué fuiste arrestado en tu segundo año –Rosebud se giró en el asiento, doblando una pierna sobre el asiento–. Soy solo yo.

–¿Todavía no hemos tenido una cita y ya quieres saberlo? Tendrás que esperar por lo menos a la tercera.

–Esta lo es.

Él la miró con una amplia sonrisa.

–¿Sí?

Rosebud intentó controlar el efecto que aquella sonrisa tuvo en ella.

–Puede ser. Ahora habla. No parece propio de ti destruir propiedad universitaria, Dan. ¿Qué hiciste?

Este suspiró de nuevo.

–¿Qué hiciste tú?

–Yo estudié…

–No. Me refiero a qué hiciste de verdad. Yo estaba harto de ser hijo de Lewis Armstrong, de ser el chico del póster de la compañía petrolífera –Dan sacudió la cabeza al recordarlo–. Echaba de menos a mi padre, pero no quería seguir teniendo que comportarme como si lo representara.

–¿Qué quieres decir?

–¿Has oído hablar de la hija de predicador?

–¿Te refieres a que cuanto más beato es el predicador, más rebelde es la hija?

–Yo soy el hijo de un bondadoso ganadero, petrolero y hombre de armas.

Por eso llevaba en la universidad el pelo largo y gafas al estilo de John Lennon.

–¿Eras un hippie?

–Lo intenté. ¿Pero sabes que los vegetarianos no comen carne?

–No me digas –bromeó ella–. ¿Cuánto duraste?

–Casi dos años, pero en cuanto volví a casa me comí una hamburguesa –Dan rio–. Lo intenté todo: fumar un poco de hierba, quemar incienso, manifestarme.

–¿Te juntaste con ecoterroristas?

–Con sus antecedentes –le corrigió Dan–. Hice amigos entre distintos grupos.

–Ya me he dado cuenta de que eres amigo de todos.

–Con algunas excepciones –la corrigió Dan con una vehemencia que dejó claro que había personas concretas que no le gustaban nada–. En general, me gusta la gente razonable. Esa fue la única vez que hice algo de lo que me arrepintiera.

Rosebud sintió un hormigueo en el estómago al pensar que no se arrepentía de haberla besado.

–¿Qué pasó?

Dan se rascó el mentón.

–Cuando llegó el servicio de seguridad de la universidad, me encontraron con una caja de cerillas delante de un contenedor en llamas. No conseguí que creyeran que pretendía llamar la atención sobre la cantidad de basura que generaba la universidad.

–¿Qué hizo tu madre?

–Primero, echarse a llorar. Luego me amenazó con que dejaría que me encerraran y tiraran la llave de mi celda si volvía a manchar el buen nombre de mi padre; después, volvió a llorar.

–Creo que tu madre me gusta.

Dan rio.

–Entre los llantos y el trabajo comunitario de limpiar un montón de cubos de basura, vi la luz. Un hombre no es feliz si disgusta a su madre.

–Un hombre bueno –dijo Rosebud, mirándolo con aprobación–. ¿Y luego?

–Me hice mayor y empecé a trabajar en la empresa familiar. Algunos de mis amigos se hicieron del Frente de Liberación de la Tierra.

Rosebud repasó sus notas.

–¿El grupo que saboteó siete pozos de Armstrong Holdings?

–Así es. Supongo que pretendían castigar a un traidor. Entre negociar o que les disparara, optaron por lo primero.

Rosebud se preguntó si Dan habría sido capaz de apretar el gatillo… Y si lo habría hecho de haber ido armado el día del valle.

–¿Qué acuerdo alcanzasteis? Por cierto, toma esta salida.

Dan guardó silencio mientras tomaba la salida que los llevó al Bob's Roadhaouse. Se trataba de un edificio bajo, rectangular, que parecía inclinarse hacia un lado. Un círculo de gente parecía animar una pelea. Rosebud se estremeció. Ni Tanner ni Tom habían evitado los lugares ruidosos, con clientes dispuestos a sacar los puños en cualquier momento, ni habían temido ir a un local de blancos por ser indios lakota. A ninguno de los dos les costaba hacer conquistas o defenderse si eran atacados. Rosebud odiaba ver a Tanner volver con el rostro ensangrentado, y escucharle decir que había demostrado a aquellos *wasicu* racistas cómo era un verdadero guerrero lakota. Como si su rostro no fuera suficiente aviso, Tanner siempre le había dicho que se mantuviera alejada de lugares como aquel. A Rosebud le enfurecía su obsesión por decirle lo que podía o no hacer. Como ninguno de los chicos que se acercaban a ella era lo bastante bueno, según él, se encargaba de ahuyentarlos. Y cada vez que la hacía prometer que seguiría sus consejos, ella quería estrangularlo. Pero Tanner siempre se limitaba a insistir: «Prométemelo, hermanita. Es demasiado peligroso».

El rojo letrero de neón del local le hizo pensar en sangre. Miró a Dan, y estaba a punto de sugerir que fueran a otro lugar cuando vio que este sonreía y tamborileaba sobre el volante.

–¡Es perfecto! –exclamó, fijándose en las motos.

–¿No prefieres un sitio más tranquilo?

–¡Qué va! No hay nada como un garito popular el sábado por la noche. Me hace sentir en casa –dijo él con una resplandeciente sonrisa.

Tragándose el nerviosismo y diciéndose que a su lado no le pasaría nada, Rosebud intentó recordar de qué estaban hablando.

–¿Cómo conseguiste alcanzar una tregua?

–Sobornándolos –Dan se soltó el cinturón–. Después de todo, en el pasado habíamos sido amigos. Algunos están en la nómina de la compañía.

–¿Ese fue el acuerdo? –preguntó ella, atónita.

–Ese, y la amenaza de que si volvían a sabotear los pozos, daría sus nombres al FBI.

–¿Debo considerar esto un soborno? –dijo ella tras reflexionar unos segundos–. ¿Se supone que arreglas mi coche y yo cierro la boca y desaparezco?

Dan se quedó paralizado con la mano en la manija de la puerta. Súbitamente, alargó la mano, tomó a Rosebud por la nuca y atrajo su cabeza hacia la de él hasta que sus frentes se rozaron.

–No quiero que cierres la boca –susurró él–, ni mucho menos que desaparezcas, querida –bajó la otra mano por su cuello y su hombro, dejando un rastro de fuego a su paso. Pero no la besó.

–¿Qué quieres de mí, Dan? –preguntó ella con el corazón palpitante a la vez que sus manos descubrían el camino hasta sus mejillas. Su barba incipiente le raspó las palmas, como agujas que la irritaban y excitaban a un tiempo. Igual que Dan. «Dime la verdad», pensó. «Una verdad que pueda creerme».

–Quiero invitarte a cenar. Y si la banda que toca es mínimamente buena –dijo Dan, refiriéndose a un grupo de música que se anunciaba en la ventana del local–, espero sacarte a bailar.

–¿Eso es todo?

–No. Pero por ahora, no voy a pedirte nada más.

Capítulo Nueve

La sonrisa con la que Dan acompañó su «por favor» les granjeó una mesa en la parte menos ruidosa del local. Aun así, para oírse, tenían que elevar la voz por encima de los Rapid City Rollers, un grupo que parecía tener seguimiento, dado que la pista estaba llena de público. Dan no había estado en un garito desde hacía años y le alegró poder demostrar a Rosebud que no era un niño bien, acostumbrado a locales de lujo.

–Cuatro copas mínimo –dijo una camarera delgada con el cabello teñido de rubio. Indicó con la barbilla una pizarra en la que se leía un anuncio: «Cuatro copas mínimo, sin reducciones, viernes y sábados». «Reducción» y «sábado» escritos con faltas de ortografía–. ¿Qué vais a tomar?

–Bud, en botella, y costillas, poco hechas –gritó Dan antes de mirar a Rosebud.

Esta fruncía los labios de una manera que le hizo pensar que había hecho algo mal, aunque no tenía ni idea de qué.

–Yo quiero lomo alto, al punto, y una Coca.

–Cuatro copas, mínimo –repitió la camarera, acompañando cada palabra con un golpe del bolígrafo en el blog–. ¿Comprendes?

–No sé sumar –replicó Rosebud, golpeando la mesa con el menú.

Las dos mujeres parecían a punto de abalanzarse la una sobre la otra, y Dan tuvo la sensación de haber entrado en un salón en 1886 en lugar de en el siglo XXI. ¿Qué pasaría a continuación? ¿Un asalto a la diligencia?

–Hemos venido por la banda –dijo, dedicando a la camarera una sonrisa a la vez que sobre los menús que le devolvía puso dos billetes de veinte y uno de diez. Dar propina por adelantado siempre surtía efecto–. No creo que la bebida sea un problema.

La camarera le dedicó una falsa sonrisa.

–Tienes razón, cariño. Enseguida traigo la carne.

Dan creyó oír a Rosebud resoplar. Al mirarla vio que se había cruzado de brazos y miraba a su alrededor con animosidad.

–Intuyo que es la primera vez que vienes aquí –dijo Dan, intentando mantener un tono animado.

Rosebud le sonrió forzadamente.

–No, nunca lo había intentado –dijo, en un tono que parecía poner al mismo nivel entrar en aquel local con tirarse de un avión sin paracaídas. ¿Por qué entonces lo había sugerido?

–Siempre hay una primera vez –comentó él, decidiendo proseguir con el tono ligero.

Por un instante deseó haberse quedado en el coche. No porque disfrutara siendo interrogado, sino porque no comprendía por qué Rosebud parecía sentirse tan incómoda en aquel lugar.

Miró a su alrededor. En un principio, pensó que

estaban en un bar normal y corriente. Pero pronto notó que todo el mundo miraba a Rosebud, y no precisamente con los mismos ojos que él la miraba. Por unos instantes intentó comprender qué sucedía, hasta que la consciencia lo alcanzó como una bofetada: Rosebud era la única india en un mar de rostros blancos. De pronto, también recordó a la comadreja Naylor refiriéndose a ellos como salvajes; y la forma en que su tío había hablado despectivamente de ellos con la babosa Thrasher.

Dan se recriminó por no haberse dado cuenta de que no era un buen lugar para una cita. Hizo ademán de levantarse, pero al ver la expresión airada de Rosebud, cambió de idea. Quizá estaba incómoda, pero era evidente que no pensaba ceder. Era de esperar. Tampoco estaba dispuesta a abandonar la lucha por más que Cecil lo hubiera intentado. Dan intuía que nunca le daría a nadie la satisfacción de derrotarla. Se acomodó en la silla, haciendo de pantalla entre ella y la clientela. Si Rosebud no pensaba huir, él tampoco lo haría.

La camarera pasó al lado de la mesa y dejó sus bebidas. Dan vio que Rosebud miraba su cerveza.

—¿Estás bien? —preguntó él. Y dio un trago.

Ella se encogió de hombros y acercó la silla hasta ponerse a su lado. A Dan le pareció natural pasarle el brazo por los hombros para hacerle saber que estaba a salvo.

—¿Qué sabes de mí, Dan? —preguntó ella. Y la forma en que le susurró al oído hizo que Dan olvidara las miradas de desprecio que se clavaban sobre ellos.

80

–He hecho averiguaciones –dijo él.

–¿Sabes lo de mis padres?

Rosebud apoyó al cabeza en su hombro y Dan pensó que no era el momento de hablar de familia, pero hizo un esfuerzo por concentrase.

–¿No murieron en un accidente de tráfico?

–Papá estaba borracho y chocó con un árbol.

Dan dejó la botella a medio camino y dijo:

–Tanner no bebía –recordó que ese había sido el principal argumento de Rosebud para negar la versión del suicidio. Concluyó–: Tú tampoco.

Dan estuvo a punto de atragantarse. El mínimo de cuatro bebidas le resultó súbitamente una cantidad excesiva. No podía beber y conducir.

–Tomaré una cerveza y esperaremos a que se pase el efecto, ¿vale?

–Pero la camarera…

Como si Rosebud la hubiera invocado, esta apareció.

–¿Te traigo la siguiente, cariño? –preguntó, rozando el hombro de Dan con sus pechos.

Dan pensó que si Rosebud le concedía otra cita, la llevaría a un lugar tranquilo y romántico.

–Quiero invitar a la banda a una ronda –dijo a la camarera, sacando dos billetes de veinte más. Tras contar, añadió–: eso hace cuatro cervezas. Quédate con el cambio.

Si eso significaba que los dejaran en paz, el gasto valía la pena. La camarera le quitó los billetes.

–Lo que quieras, cariño.

–Como vuelva a llamarte «cariño» le voy a partir la boca –dijo Rosebud.

Los celos que insinuaba el comentario hizo que Dan sonriera.

–No me gustaría que te mancharas las manos.

–¿Vas a sitios como este muy a menudo y pagas por las cervezas que no bebes?

–No –Dan se inclinó hacia ella y añadió–: Y por si te lo preguntas, tampoco me paso el día en clubs privados bebiendo Martini. Ni tengo tiempo ni nadie con quien me apetezca ir.

–¿Y Tiffany? –preguntó Rosebud tras beber un trago.

Dan la miró asombrado.

–Supongo que debía haberlo esperado –al ver que Rosebud reía, preguntó–: ¿Si te hablo de ella, darás la investigación por terminada?

Inesperadamente, Rosebud le pasó la mano por la cintura, asió una de las trabillas del pantalón y amoldándose a su brazo, dijo:

–La investigación de segunda mano, sí.

El tono insinuante de aquel comentario combinado con el peso de sus senos sobre su brazo, hizo que Dan sintiera su sexo endurecerse. Se revolvió en el asiento para acomodar la erección.

–De acuerdo. ¿Qué quieres saber? –para él hablar de una antigua novia no era excitante, pero si lo era para Rosebud, estaba dispuesto a hacerlo.

–He contado al menos treinta menciones de vosotros: dos en las páginas de sociedad de los periódicos de Dallas. Son demasiados como para que digas que no tienes nadie con quien salir.

Dan supo que era la forma de Rosebud de preguntar si era el tipo de hombre que salía con mujeres con la misma facilidad que las abandonaba, y decidió que lo mejor que podía hacer era ser sincero.

–Tiffany es una mujer maravillosa, pero creo que no la veo desde que bailamos en su boda. Ella pensó que era lo mejor. Aun así, todavía me manda una tarjeta por Navidad. Tiene un par de niños preciosos y su marido es muy agradable.

–¿Por qué no te casaste con ella?

Dan se tensó como si la pregunta lo tomara por sorpresa.

–No quería tener una esposa.

Rosebud se tensó a su vez.

–¿Qué es lo que quieres, Dan?

Era la segunda vez que le hacía aquella pregunta, y Dan pensó que, de saber que iban a entrar en una conversación profunda, debía haberse tomado otra cerveza.

–Tiffany era lo que necesitaba en Texas, alguien con quien ir a los bailes de beneficencia y que comprendiera que mi trabajo era lo primero.

–Hay hombres que se han casado por menos de eso.

–Yo no quiero una esposa –repitió él con énfasis–. Yo quiero una compañera. No necesito alguien que me cocine y me haga la cama. Quiero una igual, alguien a quien amar y respetar.

Alguien como Rosebud.

Aquel pensamiento lo asaltó como una liebre agazapada que diera un salto entre la maleza. Dan había pensado tan solo en una ocasión en casarse con Tiffany, pero aparte del sexo y de las cenas de negocios, no tenían nada en común.

A pesar de la brusquedad de sus palabras, descubrió que estaba acariciando el cabello de Rosebud y que ella no lo rechazaba.

La camarera llegó con la carne, ignoró a Rosebud y dedicó a Dan el tipo de sonrisa que pagaba una buena propina.

Dan atacó la comida con fruición y solo entonces se dio cuenta de que estaba hambriento. Le agradó ver que Rosebud también comía con ganas. Había invitado a cenar a demasiadas mujeres que se conformaban con unos bocados de ensalada.

–¿Y tú? –preguntó él.

–¿Qué quieres saber?

–He hecho algunas averiguaciones. Por ejemplo, me siento honrado de estar en presencia de la princesa *powwow*.

Rosebud puso los ojos en blanco.

–Seguro que has visto fotografías.

–Sí –de hecho Rosebud parecía una perfecta princesa, con dos trenzas apretadas y un vestido con flecos, pero no se parecía a su princesa de vestido de ante y mocasines... Excepto en la sonrisa de triunfo de ambas–. Pero apenas he encontrado nada.

Rosebud sonrió.

–Algunos de nosotros preferimos evitar las páginas de sociedad.

–Te aseguro que yo me mantengo lo más alejado posible de ellas.

Rosebud miró por encima de su hombro y cuando Dan siguió su mirada, vio que su camarera y otras susurraban y los señalaban.

–Necesitas practicar –dijo ella. Y al oír que sonaba divertida, Dan confió en que fuera capaz de ignorarlas.

–Rellena los huecos de mis datos. ¿Te gusta ser abogada?

–Se me da bien.

–Eso no es lo que te he preguntado

–Está bien –Rosebud suspiró–. Me gusta, pero habría querido estudiar arte textil –bajó la mirada y Dan tuvo la impresión de que se ruborizaba–. Me gusta hacer *patchwork*.

Dan se sorprendió inicialmente, pero luego pensó que se trataba de una labor metódica en la que se avanzaba lentamente hasta conseguir el efecto deseado y pensó que le pegaba.

–Seguro que se te da bien.

Dan estuvo seguro de que se ruborizaba.

–Tengo poco tiempo. Se lo dedico plenamente a otra cosa.

–No quiero hablar de eso –dijo Dan, terminándose la cerveza. No pensaba invitar a Cecil a aquella cena.

–De acuerdo –Rosebud alzó la mirada tras acabarse las patatas. Al ver que Dan la observaba, dijo–: ¿Qué?

–Siento curiosidad.

–¿Sobre qué? –preguntó ella con desconfianza.

–Sobre tu vida. Tú sabes todo sobre Tiffany. ¿Y tú? ¿Has tenido algún novio?

–¿Alguno? Lo dices como si fuera una monja.

Dan volvió a pasar el brazo por sus hombros.

–Eres una mujer hermosa, así que estoy seguro de que has tenido muchos pretendientes.

–Ni te lo imaginas.

–¿Por qué no me lo cuentas?

Rosebud rio.

–Trabajaba en una cafetería para pagarme los estudios y pronto descubrí que más pintalabios significaba mejores propinas.

–Eso son solo coqueteos. Te he preguntado otra cosa.

Rosebud volvió a enlazar el brazo a su cintura.

–Tuve uno, en la carrera.

–¿Un novio?

–¿Consideras a Tiffany tu novia?

–No. Solo era… conveniente –aunque sonaba fatal, era la verdad. Había sido conveniente para ambos. Por eso había acabado bien.

–Amigos con derechos. Eso fue también James para mí –dijo ella.

Por algún motivo, el nombre le resultó familiar, pero Dan se limitó a pensar que aquel James había sido muy afortunado y que más le valía ser consciente de ello.

–Un James no me pega como tu tipo.

Y no lo era. Era de una familia noble de Washington.

Rosebud suspiró. Su mano descansaba sobre el muslo de Dan, que pensó que pronto la sacaría a bailar.

–Nadie supo lo nuestro –continuó Rosebud–. James no me habría presentado ni loco a sus padres; y no habría aguantado ni un día en la reserva. Fue una de esas cosas que pasan.

Dan le hizo ponerse en pie y la llevó hacia la pista. Fuera lo que fuera lo que había entre ellos, sería distinto a lo que ella había tenido con James y él con Tiffany. Rosebud era distinta.

Como la pista estaba muy concurrida, tuvo que pegarse a ella y moverse en pequeños pasos. Sus labios encontraron la oreja de Rosebud y tuvo que hacer un esfuerzo sobrehumano para resistir la tentación de acariciársela con la lengua.

–¿Y esto?

Rosebud giró el rostro hasta que sus mejillas se tocaron.

–¿Qué quieres decir?

–Si esto es también «una de esas cosas que pasan» –Dan se dio cuenta de que no sabía qué esperar como respuesta y que ello le hacía sentirse nervioso.

Rosebud tardó unos segundos en responder, pero entonces se separó lo justo como para mirarlo a los ojos.

–No –dijo–. Esto es distinto –y lo besó.

No fue un beso tentativo, como los que él le había dado, sino que le mordisqueó el labio inferior al tiempo que clavaba los dedos en su hombro. Dan sintió una erección instantánea. Como estaban tan pegados, ella lo notó y respondió basculando las caderas hacia las de él. Parecía decidida a acabar con él en medio mismo de la pista. Dan peleó con la única arma que tenía: besándola con idéntico frenesí. Deslizó la mano que posaba en su espalda hacia sus senos y se los acarició discretamente. Ella se estremeció y ronroneó. Tenían que salir de allí lo antes posible.

Rosebud lo salvó al separarse de él lo bastante como para que pudiera recuperar el aliento.

–Tres –susurró ella con los ojos cerrados y humedeciéndose los labios con una lentitud torturadora.

–¿Tres? –Dan era consciente de que su cerebro no funcionaba, pero no estaba seguro de que le importara siempre que ella siguiera besándolo–. ¿Quieres que salgamos de aquí?

Rosebud lo miró con expresión anhelante, hambrienta.

–Sí, vámonos –dijo.

Se abrieron paso de la mano hacia la mesa.

–Ahora mismo vengo –dijo Rosebud, indicando el cuarto de baño.

Dan estaba dispuesto a esperar lo que hiciera falta para ir a… ¿Dónde? Ni a casa de Cecil ni a casa de Rosebud. Tenían que encontrar un territorio neutro. De pronto recordó los planos del valle que había estudiado, y recordó un edificio próximo a un arroyo que desembocaba en el río Dakota, a unos catorce kilómetros de la futura presa. Si se trataba de un refugio de montaña, no tendría sábanas de seda ni servicio de habitación, pero estaba aislada y…

–¡Eh, tú! –un grito agudo se elevó por encima de los últimos acordes de la canción–. ¡He dicho…! ¡Dan! ¡Socorro!

Capítulo Diez

Rosebud fue hacia el cuarto de baño. Tres besos. Se suponía que debía dejarlo ahí, pero ya no era capaz de pensar racionalmente. Solo quería concentrarse en que se iban a marchar y ni siquiera le importaba a dónde mientras pudiera recordar lo que se había perdido durante tres años. O quizá más.

James nunca le había hecho sentir tan caliente, ni mucho menos tan débil. Aunque al contrario que sus demás compañeros, la trataba como a una amiga y no como «la india», no habían sido más que amigos que se acostaban ocasionalmente. Para Dan, en cambio, era simple y llanamente, una mujer. Ni una abogada ni una india, sino todo al mismo tiempo. ¡Qué más daban las demandas, los familiares desaparecidos, las presas!

El cuarto de baño era pequeño. Apestaba a laca y perfume baratos, y estaba lleno. Una marea de rubias de bote con minifalda se arremolinaban alrededor del espejo. En cuanto Rosebud cerró la puerta a su espalda, se hizo un silencio sepulcral, los rímeles y los lápices de labios quedaron en suspenso y todos los ojos se volvieron hacia ella.

A Rosebud se le cayó el alma a los pies. La camarera que los había atendido estaba en una esquina, mirándola con una expresión que Rosebud conocía bien.

La primera vez que se había encontrado con ella fue en el colegio, cuando su tía consiguió que la admitieran en un centro para blancos de fuera de la reserva. Las chicas habían actuado como si la consideraran una amenaza. Durante meses, nadie le había dirigido la palabra, había oído los rumores que circulaban sobre ella, que robaba carteras, consumía drogas, se acostaba con los profesores…

Rosebud solo tenía doce años y no era tan peleona como Tanner, así que siguió el consejo de su tía Emily y cerró la boca.

La primera vez que habló fue en Economía y el profesor se quedó perplejo al descubrir que hablaba inglés. A partir de ahí, Rosebud encontró su camino, y aunque no era tan pendenciera como Tanner, decidió no callarse. La siguiente vez que oyó cuchicheos, salió al ataque. Su capacidad de expresarse era su don. Pero eso era entonces, en la relativa seguridad del colegio.

La peor consecuencia durante aquellos años fue recibir un puñetazo cuando le dijo a una de sus principales torturadoras que su novio la engañaba con su mejor amiga. Pero en aquel instante estaba en un bar en el que no era bienvenida. Rosebud tragó saliva, debatiéndose entre el pánico y su habitual necesidad de dominar las situaciones. Aunque aquella era mucho más peligrosa que cualquiera de las que había sufrido antes.

Alzó la cabeza y fue al único servicio que estaba

abierto. En cuanto cerró la puerta, esta tembló al recibir una patada, seguida de otra. Rosebud contuvo un grito. Llegaron la tercera y la cuarta. Rosebud la sujetó con la mano mientras conseguía orinar manteniendo un inestable equilibrio. Finalmente, se hizo el silencio y dedujo que se habían ido. Antes de abrir, aguzó el oído pero no oyó nada. Por si acaso, sacó del bolso un bolígrafo. A falta de un revolver, tendría que servirle.

Se echó el bolso al hombro y abrió lentamente. Afortunadamente, no había nadie. Rosebud se lavó las manos mientras pensaba cómo salir lo más desapercibida posible.

«No tengo miedo», se dijo, como si pensarlo lo convirtiera en realidad. Tras varias respiraciones profundas, asió el bolígrafo como un cuchillo. Se lo clavaría a cualquiera que intentara detenerla. A veces, la defensa propia era la única defensa. Dos metros. Lo lograría. Empujó la puerta.

Apenas había dado un paso cuando se topó con una barrera de moteros.

–Vaya, vaya –dijo uno de ellos, mirándola despectivamente.

Un repugnante olor a cebolla y whisky golpeó el rostro de Rosebud. ¿Dónde demonios estaba Dan?

Antes de que Rosebud pudiera pasar de largo, el hombre le sujetó la mano en la que llevaba el bolígrafo.

–Mi colega se ha apostado veinte dólares a que no te saco a bailar, Pocahontas.

Ese era el apodo racista que más la irritaba. Intentó soltarse, pero el tipo tiró de ella hacia la pista de baile.

Rosebud miró a su alrededor buscando a Dan.

–Lo siento –dijo, forzando una sonrisa mientras seguía intentando soltarse–, pero vas a perder la apuesta.

–Solo un baile, indiecita. Quiero un poco de esa miel que le has dado al *cowboy*.

–Suéltame –dijo ella, elevando la voz e intentando sonar más decidida que asustada.

–¿Te crees demasiado buena para mí? No eres más que una maldita india –gritó él, acercando su rostro al de ella.

Rosebud perdió el miedo, y pasó a la ofensiva. Alegrándose de llevar botas, le lanzó una patada a la entrepierna.

–He dicho…

El motero la insultó, a la vez que se doblaba con un grito de dolor. Aun así, no la soltó. Rosebud fue a darle una segunda patada, cuando alguien le tiró del cabello, haciéndole perder el equilibrio.

–¡Dan! ¡Socorro!

El motero cayó de rodillas al suelo, arrastrándola consigo.

–Maldita zorra –dijo una voz de mujer a su espalda, a la vez que recibía un tirón de pelo que le doblaba la cabeza hacia atrás–. ¿Qué le has hecho a mi hombre?

–¡Dan! –gritó Rosebud a pleno pulmón.

El dolor y el miedo la dominaban. Sufrió un nuevo tirón. Un intenso dolor en la frente la cegó por unos segundos. No era posible que la camarera fuera a cortarle la cabellera.

–Salvaje –le dijo la camarera al oído, lenta y pausadamente–. Voy a darte una lección para que no vuelvas a asomar tu cara de piel roja por aquí.

Rosebud oyó el ruido de huesos que se quebraban, pero en lugar de sentir el dolor que esperaba, oyó aullar al motero.

–Suéltala –dijo Dan. Y sonaba furioso. Incluso más que cuando ella lo había disparado.

Rosebud liberó su brazo. Un segundo más tarde, también notó que le soltaban la cabeza. Un segundo más tarde cayó hacia atrás, pero en lugar de tocar suelo, unos brazos familiares la alzaron presurosamente. Parpadeando para librarse de las lágrimas, vio a Dan, que pisaba la mano del motero mientras la sujetaba por debajo de las axilas. En la otra, tenía un cuchillo. Rosebud clavó la mirada en la hoja de metal y vio que era un cuchillo de mesa.

–¡Me ha dado una patada en los testículos! –gimoteó el motero desde el suelo. Dan respondió clavándole el tacón–. ¡Mi mano!

–No quiero líos –dijo Dan con voz grave.

Rosebud se dio cuenta de que la música había cesado. Reinaba el más profundo silencio. Hacia la izquierda, se oyó el inconfundible sonido de un gatillo.

–No quiero líos –repitió Dan–. Camina –dijo Dan entre dientes, asiéndola con fuerza. Y al dar un paso adelante, prácticamente la arrastró consigo.

Rosebud evitó mirar en la dirección de arma, temiendo que si apartaba la vista de Dan se tomaría como un acto de agresión. Mantuvo la mirada fija en la mano de Dan y en el filo del cuchillo. Rosebud no quería morir en un bar. Dan continuó, retrocediendo hacia la puerta.

–¡Ha empezado ella! –chilló la camarera.

Rosebud estaba aterrorizada.

–¡Da lo mismo quien haya empezado! Yo voy a acabarlo.

A Rosebud le asombró que Dan sonara tan tranquilo. Los dominaban por doscientos a dos y hablaba como si estuviera negociando un acuerdo.

Rosebud oyó el ruido de sillas arrastradas, pero continuaron retrocediendo.

–Prepárate –le susurró Dan.

Rosebud notó una ráfaga de aire fresco en el cuello, y de pronto, estaban fuera mientras que todas las caras de ira seguían dentro. Dan dejó caer el cuchillo y, tomándola de la mano, gritó:

–¡Al coche! ¡Ya!

Corrieron tan deprisa que Rosebud solo oía sus pisadas y el latido de su corazón, así que no supo si los seguían.

–¡Sube! –gritó él cuando llegaron. Y arrancó–. ¡Agáchate!

–¿Tu rifle? –Rosebud sentía la adrenalina fluir por sus venas, ¿Querían una salvaje? La tendrían.

–No –contestó Dan a la vez que viraba bruscamente y ajustaba el retrovisor–. Permanece agachada.

Se oyó una explosión a su espalda, Rosebud gritó y Dan giró a la derecha, derrapando.

–La bala nos ha pasado por encima –dijo, como si

no pasara nada–. Ya estamos en la autopista, cariño. Tranquila.

Rosebud se llevó la mano a la frente y los dedos se le tiñeron de sangre. Sintió náuseas.

–Voy a devolver –dijo.

–Aguanta –Dan aceleró hasta tomar una salida y frenar con un chirrido de ruedas.

Rosebud abrió la puerta, se separó unos pasos del coche, cayó de rodillas y devolvió.

De pronto, sintió que le retiraban el cabello y que una mano cálida le masajeaba la espalda. De haber podido, Rosebud se habría reído de la vergonzosa escena. Cuando se sintió mejor, se sentó sobre los talones.

Sin soltarle el cabello, Dan se puso de cuclillas a su lado.

–¿Mejor?

–Hum –masculló ella. Dan escrutó su rostro. Rosebud no se sintió capaz de mirarlo, y no supo si alguna vez lo sería.

–Enseguida vuelvo –dijo él.

Rosebud se quedó sentada, en estado de *shock*.

Oyó acercarse las pisadas de Dan. Este se agachó detrás de ella. Llevaba una botella de agua y un paño. Ella se aclaró la boca y él le pasó en trapo húmedo por el rostro. La frente le dolía, pero asumió que no era una herida grave.

–No es nada –dijo él con voz tranquilizadora. Tomó el rostro de Rosebud entre sus manos y lo giró hacia el haz de luz de los faros.

Súbitamente, el pánico que había sentido la hizo

estallar en llanto. Cerrando los ojos, intentó controlarlo.

–Lo siento. Ha sido mi culpa.

Pero no pudo contenerlo.

–Aunque llore –dijo entre sollozos–, no quiero que utilices esto en un juicio; ni que juzgues nuestra cita por lo que ha pasado –sonaba histérica. El miedo, el dolor y el alivio formaban una combinación explosiva. De pronto no podía callar–. Ha sido una cita muy agradable. De hecho, me has gustado mucho. Es una pena que seas un Armstrong.

Sin que se diera cuenta de cómo había sucedido, Rosebud se encontró de pie y Dan la llevaba de vuelta al coche. Pero en lugar de dejarla en su asiento, se sentó él y la acomodó en su regazo, con los pies colgándole en el aire. Luego la acunó mientras le acariciaba el cabello y susurraba.

–Lo sé, cariño, lo sé –una y otra vez.

Lo que hizo pensar a Rosebud que seguía hablando. Aunque no tenía ni idea de qué decía.

Capítulo Once

«Tranquilo», se dijo Dan el lunes por la mañana, mientras entraba en las oficinas de la reserva. Debía actuar como si nada hubiera sucedido e ignorar la preocupación que sentía por Rosebud, que no había contestado a ninguna de sus llamadas.

–Buenos días, señor Armstrong –lo saludó Judy con una taza de café–. La señorita Donnelly va a retrasarse un poco, pero no tardará en llegar.

Dan le dio las galletas que había horneado María. Recorrió la sala arriba y abajo y se dijo que si Rosebud no aparecía en cinco minutos iría en su busca.

Cuando ya tenía la mano en el picaporte, Judy entró con una carpeta de documentos y Rosebud la siguió, con un gesto inexpresivo que preocupó a Dan. Aunque llevaba una tirita en el corte de la frente, su aspecto era normal: trenzas recogidas en un moño, traje de chaqueta con camisa azul clara y gafas.

Rosebud permaneció inmóvil hasta que Judy se fue. Dan tuvo la tentación de tomarla en sus brazos, pero su actitud distante lo contuvo. Actuaba como si fueran desconocidos. Finalmente, él rompió el silencio.

–¿Estás bien?

–Perfectamente –Dan supo que mentía porque se

mordió el labio interior–. Me he dado un golpe con la puerta de un mueble de cocina.

–Ah, claro –era una buena excusa–. Estaba preocupado por ti. Te he llamado varias veces.

Rosebud por fin lo miró directamente en lugar de mirar al vacío.

–Mi tía estaba en casa.

–Lo siento mucho –dijo él, ansioso por conseguir que reaccionara–. Debería haber esperado a llevarte a un restaurante mejor. Debería haber puesto a la camarera en su sitio y haberte esperado a la puerta del cuarto de baño.

Esos eran los tres errores principales que había cometido, pero no estaba seguro de que hubieran bastado.

Rosebud se movió lentamente, como si tuviera jaqueca.

–No fue tu culpa –dijo, sentándose–. Yo soy quien debía…

–Escucha, tú no tuviste ninguna culpa de lo que pasó el sábado por la noche.

–Claro que sí –dijo ella, abriendo una carpeta y sacando un documento. Ni siquiera sonaba enfadada–. Yo…

Dan empezó a sentirse irritado con su actitud.

–¿Vas a permitir que una panda de imbéciles te asuste? Si quieres, compraré el bar y lo destrozaré.

Rosebud golpeó la mesa con la mano, sobresaltándolo.

–No te enteras, ¿verdad? No se trata solo de un bar. Aunque no te lo creas, así es como la gente nos trata, como salvajes ignorantes. Para ellos solo es un buen indio el que está muerto.

Dan la miró boquiabierto.

—Sabes que yo no soy así.

Rosebud miró hacia otro lado. Cuando volvió a clavar los ojos en Dan, brillaban como dos ascuas.

—¿Ah, no? Vuelve a decírmelo en tres semanas y media. Ya veremos cómo me tratas entonces.

—¡La presa me da lo mismo! ¡Esto no tiene nada que ver con la presa!

—¿No? Entonces, ¿de qué se trata?

Dan rodó la silla hasta ponerse junto a Rosebud y mirarla a los ojos.

—De ti y de mí, Rosebud; de que nos gustamos, de que nos gusta bailar despacio aunque la música sea rápida y de que ninguno de los dos se da por vencido sin presentar batalla. Me prometiste que no lo harías y voy a obligarte a mantener tu palabra.

Rosebud se mordió el labio con tanta fuerza que Dan temió que se hiciera daño. Parecía tan disgustada como cuando la había dejado en su casa.

—Cena conmigo esta noche —Dan no sabía qué otra cosa ofrecer para sacarla de su abatimiento y para compensarla por el fracaso de su anterior cita.

—¿O…?

Dan la miró perplejo al entender su interrogante como si considerara su oferta un chantaje.

—O cenaré solo.

—No puedo.

—¿Y si sugiero un terreno neutro, un lugar tranquilo? —preguntó, acariciándole la mejilla.

–¿Qué te hace pensar que la próxima vez será distinta? –dijo ella con voz temblorosa, a la vez que se separaba de él–. No podemos escondernos. Además, no puedo.

Dan se enfadó.

–Yo no me escondo, Rosebud. Y tú no deberías.

–¿Le has hablado a tu tío de esto? –preguntó ella, señalándose el corte–. ¿O de mí?

–No soy tan idiota –Dan se apoyó en el respaldo con un resoplido de frustración–. Nadie tiene por qué saber cuándo nos vemos o qué hacemos. No quiero preocuparme de lo que piensen ni mi tío ni tu tía ni cualquier otra persona –Dan habría querido besar el labio que Rosebud se estaba destrozando, pero sabía que no era ni el momento ni el lugar–. Tal y como te dije, intento mantenerme al margen de las páginas de sociedad –añadió, sin poder reprimir el impulso de acariciarle de nuevo el rostro.

Rosebud se tensó por un instante, pero acabó por relajarse y apoyar el rostro en su mano. Entornando los ojos, preguntó:

–¿Dónde?

–¿Sabes dónde está Bonneau Creek? –al ver que Rosebud asentía, continuó–. Allí hay un refugio aislado, al que no llega ni la carretera ni la electricidad.

–Está a casi veinte kilómetros de aquí. No puedo cabalgar hasta allí esta noche.

–¿Y el fin de semana? ¿Quieres pasarlo conmigo?

Se produjo un silencio durante el que Dan rezó para que Rosebud accediera.

Rosebud posó su mano temblorosa sobre la de él.

–¿No se lo dirás a nadie?

–Ni muerto –dijo él.

Rosebud giró la cabeza y le besó la palma de la mano.

–No me obligues a cumplir tu promesa –dijo. Y tras dedicarle una mirada cálida, se separó de él.

El significado estaba claro: «Sí. Ahora, volvamos al trabajo». Y Dan estuvo a punto de saltar de alegría.

–No te preocupes, no te obligaré.

Trabajaron en silencio el resto del día, con Rosebud sentada a cierta distancia, aunque por debajo de la mesa apoyaba su pie desnudo sobre el muslo de Dan, que no hacía más que pensar en lo lejos que quedaba el viernes.

Cinco días más tarde, mientras montaba a Smokey camino de Bonneau Creek, Dan fue notando cómo el silencio caía sobre él. No bruscamente, sino como si reptara hasta él, ahogando todos los sonidos excepto los pasos de Smokey en la hierba. Ni pájaros, ni insectos. Ni siquiera había brisa.

Se oyó el ruido de un palo quebrándose. Dan aguzó el oído. Se había producido hacia su derecha, en el mismo sendero donde había oído un ruido días atrás.

Dan sonrió. Rosebud había acudido. Manteniendo el oído atento, hizo virar a Smokey. Parpadeó. En lugar de su princesa india, Rosebud montaba a su pinto con el cabello sujeto en una trenza floja, y se cubría la cabeza con un sombrero vaquero de paja.

Vestía una camiseta blanca, vaqueros y botas. La sonrisa sí era la misma. Trotó haca él y Dan disfrutó de la visión de su grácil cuerpo.

–Hola –Dan si inclinó sobre la silla y la beso. Sabía a miel… ¿Sería ese el sabor de su cuerpo?–. La primera vez pensé que eras preciosa. Pero así me gustas incluso más.

Rosebud abrió la boca y la cerró al no poder articular palabra.

–Si crees que yo te disparé–dijo ella, poniéndose a su altura–, ¿qué haces aquí conmigo?

–No lo creo –Dan aflojó las riendas de Smokey. Habían hecho aquel recorrido cada noche de esa semana para prepararlo, aunque no siempre hacían la misma ruta–. Smokey sabía dónde iban–. Lo sé.

–A no ser que no fuera yo –dijo ella con vehemencia.

Dan sonrió. Cómo podía ser tan cabezota. Había confiado en ganarse su confianza después de haberla salvado, pero no parecía ser así.

–Mi madre siempre dice que todo el mundo tiene sus razones.

–¿Y crees que quien te disparó las tenía?

Dan deslizó la mirada por el valle y por la mujer que lo acompañaba. Sus caderas se mecían con cada paso del caballo y sus senos se balanceaban a cámara lenta. Sujetaba las riendas relajadamente sobre el muslo. El sol brillaba sobre sus brazos desnudos, pero Dan volvía la mirada una y otra vez hacia sus ojos.

Ni forzaba la sonrisa, ni lanzaba miradas retadoras. Era Rosebud en su hábitat. Junto al río, montada sobre un caballo, estaba en su hogar. No en una cargada y fea oficina.

Todo el mundo tenía algún motivo. Dan había repasado los informes de la policía de los últimos siete años sobre vandalismo en la reserva. ¿Qué había dicho Rosebud en su primer encuentro?

–Quizá esa persona creía que estaba disparando a alguien que «lleva a cabo una campaña de intimidación de los miembros de la tribu»… Eso es lo que dijiste, ¿no?

Rosebud permaneció callada y Dan evitó mirarla por temor a intimidarla. Pero quería oír una confesión de sus labios antes de decidirse a dar un paso adelante en la relación.

–Esa podría ser una razón. Pero estoy segura de que esa persona solo intentaba asustarte. Seguro que fue un error.

–Esa persona tiene que practicar un poco más su tiro. Casi me mata del susto. Y a Smokey.

Smokey cabeceó como si asintiera.

En la distancia, Dan vio que el río hacía un meandro. Estaban a medio camino. Una parte de él, quería preguntarle si conocía a Shane Thrasher para protegerla. Pero se lo impedía la parte que iba a pasar el fin de semana con su princesa india, alejados del mundo. Puesto que no podían hacer nada respecto a Thrasher, porqué estropear el momento.

–Lo siento –dijo ella, súbitamente, con la voz quebrada–. Te pagaré el sombrero nuevo.

Dan la miró y vio que sujetaba las riendas con tanta fuerza que tenía los nudillos blancos.

–No volverá a pasar, ¿verdad?

–No.

Dan sabía que decía la verdad. Finalmente, no había nada que se interpusiera entre ellos. Se inclinó y acarició el brazo de Rosebud.

–No pasa nada –dijo, tranquilizador–. De verdad. No era más que un sombrero.

–Pero podía haber sido tu cabeza –dijo ella con lágrimas en los ojos.

Dan alzó una mano.

–Lo pasado, pasado está. Ahora te conozco y sé que no eres una fría asesina –se alzó sobre las espuelas para poder acercarse más a ella, pero no hizo falta porque Rosebud fue a su encuentro y se asió a su camisa.

–Confío en ti, Rosebud.

Dan se mantuvo en equilibrio. Quería besarla, pero temía hacerle caer. Ella, sin soltarle la camisa y con una mirada entre tímida y avergonzada, dijo:

–Yo no debería confiar en ti.

–¿Pero…?

–Pero confío –Rosebud se inclinó aun más y Dan notó sus labios acariciarle las mejillas, antes de soltarlo. Él cayó sobre la silla y la miró, perplejo, mientras ella añadía–: No sé qué me pasa, pero contigo hago todo lo que no debo.

–Ahora quiero ver cómo cabalgas de verdad –dijo Dan, espoleando a Smokey–. ¡Vamos! –gritó por encima del hombro–. ¡Sígueme!

Rosebud salió al galope al tiempo que lanzaba un grito agudo de felicidad.

Capítulo Doce

Rosebud observaba a Dan encender un fuego mientras se decía que no recordaba cuánto tiempo hacía que no disfrutaba de unas horas de libertad, y menos en compañía de… Dan se quitó la camiseta para dar aire al fuego y Rosebud lo miró con admiración. Era aun más espectacular que vestido.

Dan fue a por un cubo de agua y volvió para cepillar a los caballos y refrescarlos. Cada músculo de sus brazos se puso en acción, haciendo que su físico resultara aún más tentador. Y Rosebud se preguntó hasta cuándo tendría que esperar.

Contener el deseo que la dominaba estaba dejándola exhausta. La cabalgata había bombeado su sangre y contemplar a Dan estaba manteniéndola a presión. Apartó la mirada del torso de Dan y sacó los condones de su bolso.

Había una vieja cama plegable, de muelles. Pero las sábanas eran suaves y olían a limpio. Rosebud escondió los condones debajo, para tenerlos a mano. Le quedaban tres semanas con Dan, así que debía aprovecharlas. No podía predecir qué sucedería después del juicio, aunque suponía que Dan estaría deseando volver a Texas.

Cuando ya se ponía en pie, oyó a Dan limpiarse

las botas a la entrada de la cabaña. Fue hasta ella, que no se volvió por temor a echarse en sus brazos, y le rodeó la cintura con los brazos. Olía a caballo, a humo y sándalo. Se quitó el sombrero y lo tiró sobre una mesa.

–Ya sé que no es un piso de lujo, pero ¿qué te parece? –le susurró al oído antes de besarle el cuello.

–Me encanta.

–He traído algo para cenar –la barba de Dan le rozó la oreja. Él posó una mano en su cintura y la otra la abrió justo debajo de su seno. El calor que irradiaba su torso se trasmitía a Rosebud a través de su espalda.

Rosebud se volvió lentamente y lo miró fijamente.

–No he venido aquí para cenar –susurró.

–Yo tampoco –Dan no pidió permiso para besarla, y algo debió estallar en el cerebro de ambos, porque en cuestión de segundos ella le soltaba el cinturón y él le desabrochaba la camisa. Un segundo más tarde, los muelles de la cama chirriaron.

Rosebud alzó las caderas para permitir que Dan le quitara los pantalones y las bragas. No supo qué pasó con el sujetador, pero se encontró desnuda en cuestión de segundos. Entonces se puso en pie y le desabrochó los pantalones a Dan. La cama siguió protestando.

Rosebud le quitó los calzoncillos y comprobó que estaba muy bien dotado… y firme.

Dan se puso un condón y se arrodilló entre las piernas de Rosebud. La cama tembló y Dan se quedó parado, sujetándose a ambos lados del colchón.

–Quizá… –empezó Dan.

Pero Rosebud no podía esperar más y, tomándole el rostro, lo atrajo hacia sí a la vez que le rodeaba la cintura con las piernas. Quería saborear cada milímetro de su cuerpo y grabárselo en la memoria. Recorrió su pecho con las manos y las llevó hacia su trasero para empujarlo hacia el punto de su cuerpo donde la tensión se había ido acumulando hasta hacerse insoportable.

–Te deseo. Ahora.

Dan le hizo sentir su sexo antes de penetrarla con suavidad. Rosebud se estremeció.

–¿Es esto lo que quieres?

–Sí –gimió ella, contrayéndose en torno a él.

Dan retrocedió hasta casi salirse y de los labios de Rosebud escapó una protesta.

–¿Esto? –Dan la penetró hasta el fondo, inclinando la cabeza hasta que sus frentes se tocaron y envolviéndola en su jadeante aliento.

Rosebud se sintió segura, protegida. Nadie podía hacerle daño. Dan era todo lo que había deseado, pero mucho más de lo que había imaginado.

–Dan… –susurró.

Dan volvió a retroceder. ¿A qué estaba esperando?

–Dime qué quieres que haga –dijo él con voz quebrada, como si estuviera al borde de un precipicio. Rosebud alzó las caderas para atraerlo de nuevo hacia su interior.

–¿En alto? –preguntó ella. ¿No era evidente?

–Sí –dijo él, moviéndose en círculos.

–Más fuerte –Dan obedeció, profundizando el contacto y Rosebud dejó escapar un gritó.

Dan emitió un sonido gutural de puro placer y deseo, pero aun así, volvió a retroceder lentamente. Rosebud sentía que estaba a punto de estallar, pero su orgasmo estaba contenido tras una pared de tres años de abstinencia. Y era Dan quien debía derribar ese muro. La lentitud no iba lograrlo.

–Más deprisa –exigió ella, posando las manos en sus nalgas–. Más fuerte, más deprisa.

Dan gimió y fue acelerando, penetrándola con fuerza, con una pasión que Rosebud no había experimentado nunca. Y antes de que fuera consciente de hacerlo, se oyó gritando el nombre de Dan una y otra vez, con cada entrechocar de sus cuerpos.

–No… puedo… aguantar… –dijo él, entre dientes.

Sus labios encontraron los de ella y ese contacto íntimo hizo añicos la barrera. Rosebud habría querido gritar su nombre en ese instante, pero lo único que brotó de su garganta fue un gemido prolongado. Él entonces estalló con un último empuje, y echó la cabeza hacía atrás, emitiendo lo que pareció más el rugido de un león que un grito humano, antes de dejarse caer sobre ella, exánime.

La cama permaneció silenciosa mientras Rosebud intentaba recuperar el aliento con el peso de Dan sobre ella. Saciada, acarició su espalda con lentitud, palpando cada uno de sus músculos.

–Oh, Rosebud –farfulló él con los labios pegados a su cuello, antes de besárselo–. Yo… tú…

–Ha sido increíble. Eres increíble –balbuceó.

Dan se incorporó sobre una mano y la miró, sonriente.

–Interesante –dijo en tono de broma–. Supongo que quieres decir que te ha encantado.

–Ahá –fue todo lo que Rosebud pudo decir antes de que le diera un ataque de risa.

Dan se sentó, posando lo pies en el suelo, y ella se giró en la cama para acariciarle la espalda. No podía ser más perfecto.

–Y que no te importaría repetir dentro de un rato –añadió él.

–En poco rato –especificó ella.

En esa ocasión fue él quien rio. A pesar de las protestas de la cama, tomó a Rosebud en brazos y la sentó en su regazo. Le besó la frente, las mejillas, los párpados.

–¿Puedes esperar media hora?

Rosebud por fin sintió que su cerebro empezaba a recuperarse.

–Si no hay más remedio… –dijo. Pensó que podía refrescarse y que a los dos les sentaría bien un pequeño descanso.

Entonces se dio cuenta de que no había cuarto de baño.

Interpretando correctamente la expresión de su rostro, Dan rio y dijo:

–Puedes elegir entre el árbol de la izquierda o el arbusto de la derecha.

Rosebud se desperezó y Dan aprovechó para deslizar las manos por su cuerpo desnudo.

–Arbusto –dijo ella finalmente. Sabía que los arbustos ofrecían un mejor escondite.

Para cuando se vistió, Dan estaba delante del fuego. Había extendido una manta sobre unas tablas para crear un espacio en el que sentarse.

Rosebud encontró la cena de pollo frío y galletas deliciosa.

–¿Qué voy a hacer contigo?

–Esa es una buena pregunta –dijo ella, diciéndose que le encantaría conocer la respuesta.

Dan se detuvo en mitad de extender su *marshmallow* perfectamente fundido entre dos galletas saladas. Luego se lo ofreció.

–Eso ha sonado muy solemne –comentó.

Rosebud intentó reír para quitarle importancia.

–Perdona. Hace tanto que no tengo un día libre que me cuesta desconectar el cerebro.

Dan puso otra golosina en el pincho pero en lugar de acercarla al fuego se quedó mirándolo en silencio, tan prolongadamente, que Rosebud pensó que lo había incomodado... aunque no sabía cómo ni por qué.

Finalmente él se giró hacia ella y, mirándola a los ojos, dijo:

–Rosebud –en un tono tan formal que por un momento de total irracionalidad, ella pensó que iba a pedirle en matrimonio y su corazón se aceleró–. ¿Y si la presa no llegara a construirse?

Capítulo Trece

–¿Qué? –exclamó ella–. ¿Qué quieres decir?

Dan pensó que había cometido un error al mezcla placer y negocios.

–Uno de mis ingenieros va a venir en las próximas semanas –explicó. Rosebud lo miraba como si en lugar de ojos tuviera dos rayos láser–. He estudiado los planos y creo que podríamos construir una central aprovechando el ciclo del agua.

Rosebud tomó aire. Luego se puso en pie y se alejó unos pasos, debatiéndose entre tranquilizarse o tomar a Dan por las solapas y sacudirlo.

–¿A qué te refieres? –preguntó.

–Una central de ciclo del agua no permite acumular electricidad, pero evitaría construir una presa. El coste se incrementaría en unos pocos miles de dólares. Mucho menos de lo que Cecil se ha gastado en abogados –Dan se puso en pie lentamente.

–¿Tú… La presa… No? –balbuceó ella–. ¿Nosotros?

El resplandor del fuego iluminaba su rostro y Dan recordó imágenes de cuando habían hecho el amor. Tanto entonces como en aquel momento, Rosebud había perdido el control. En ambos casos, balbuceaba cosas inconexas. Era una buena señal.

–No puedo prometer nada antes de que Jimmy me de su opinión. Pero creo que es posible. Eso es todo –Dan le tomó la mano y la atrajo hacia sí. Encajaba entre sus brazos a la perfección.

–¿No se inundaría el valle? –el corazón de Rosebud latía con tanta fuerza que Dan pudo sentirlo contra su pecho.

Sacudió la cabeza.

–No confío en la compañía de ingenieros que ha contratado Cecil más que en él. Tengo la impresión de que hay un motivo oculto en el empeño que ha puesto en llevar a cabo la presa.

–Dan, ¿estás hablando en serio? ¿Podría evitarse?

–He dicho que no puedo prometer nada, solo que hay una posibilidad –Dan tomó el rostro de Rosebud entre sus manos–. Se trata de un acuerdo de Cecil, pero yo soy el dueño de la compañía y hemos invertido mucho dinero en este proyecto. No puedo permitirme abandonarlo sin llegar a una solución.

Dan podía ver el cerebro de Rosebud en funcionamiento. También él suyo estaba en marcha. Muchas cosas tenían que salir bien para conseguir su objetivo, y ninguna era fácil. Como hacerse con el control del proyecto y quitárselo a Cecil, para empezar.

Rosebud abrió la boca para decir algo, pero solo emitió una exclamación quebrada.

Dan no conocía a ninguna mujer para la que hablar de una central hidráulica de ciclo del agua pudiera resultarle sensual. Pero Rosebud era distinta a todas. La estrechó en sus brazos, deleitándose en la forma que ella se frotó contra él, y se inclinó para besarla.

–Eso es lo que me ha parecido que decías –susurró ella.

La miel de su boca estaba mezclada con el dulzor del chocolate. Ella le acarició el rostro a la vez que le lamía los labios. Había pasado media hora y los dos estaban listos. Dan gimió de satisfacción cuando ella basculó las caderas hacia él y en cuestión de segundos le estaba quitando la camisa.

–He soñado con esto muchas veces –dijo ella, quitándole a él la suya y empujándolo para que se recostara en la manta.

El frescor de la noche hizo que Dan deseara entrar en calor. Sacó otro condón del bolsillo antes de que ella le quitara los pantalones.

Con una lentitud torturadora, ella se quitó los pantalones. Sus pezones parecían dos botones de bronce bajo el resplandor de las llamas. Balanceó las caderas para acabar de retirarse la prenda, y entonces se soltó la trenza, dejando que su cabello se deslizara en suaves ondas. Alzó la barbilla y cuadró los hombros. Ella era una orgullosa princesa india, y tenía al vaquero a sus pies.

Dan no podía apartar la mirada de ella.

Rosebud se agachó lentamente, tomándolo en su interior mientras le rozaba el rostro con los senos. Los gemidos que emitió mientras le hizo el amor bastaron para que Dan tuviera que hacer un esfuerzo sobrehumano para contenerse. Estar con una mujer que no reprimía su deseo y que lo expresaba en alto era lo más sexy que había experimentado en su vida, le hacia enloquecer.

–¿Te gusta así? –preguntó él. Porque quería que ella gozara tanto como él.

–Desde luego –Rosebud arqueó la espalda, dejando que mordisqueara sus pezones mientras su cabello los envolvía como una cortina de seda.–. Así –gimió–. Oh, sí, así.

Dan la sujetó por la espalda con una mano mientras le succionaba un pezón y le pellizcaba el otro con los dedos de la mano libre.

Ella se asió de su cabello y le sujetó la cabeza. Sus pezones se endurecieron como dos guijarros. Y cada roce de sus dientes, de su lengua o de la piel áspera de su barbilla, la arrastraba un milímetro más al abismo.

Finalmente, fue Dan quien no pudo contenerse por más tiempo. Sujetó a Rosebud por las caderas y alzó las suyas tan aceleradamente y con tanta fuerza como pudo. Sus gemidos, la manifestación de su placer, lo cegaron. Solo sentía y saboreaba el sonido de lo que le estaba haciendo sentir.

No recordaba haber alcanzado un orgasmo como aquel con ninguna otra mujer.

Para cuando recuperó un mínimo sentido de la realidad, Rosebud reposaba su cabeza en la curva de su cuello. Gemía y respiraba agitadamente.

–Sí –susurró él–. Yo estoy igual.

Dan habría querido permanecer horas en aquella posición, pero la noche refrescó bruscamente. Se movieron a duras penas, y para cuando él apagó el fuego y entró, Rosebud había bajado el colchón al suelo y lo esperaba en él. Dan se metió a su lado, consciente de que era la primera vez que pasaba la noche con una mujer tras hacer el amor.

Rosebud se acurrucó contra su costado y le pasó una pierna por encima.

–No has contestado mi pregunta –dijo ella con voz adormecida.

–¿Qué pregunta?

–La de que qué vas a hacer conmigo.

Dan entrelazó sus dedos con los de ella. Estaba quedándose dormido, pero quiso contestar.

–Creo que voy a conservarte a mi lado

Para cuando llegó el domingo, Dan tenía claro que nunca lo había pasado tan bien de acampada como con Rosebud. A Rosebud le gustaba hacer las mismas cosas que a él, como montar a caballo o bañarse en el río. Hacían el amor plácidamente por las mañanas y apasionada y ruidosamente por las noches, bajo la luz de la luna.

Cualquiera que fuese la razón, mientras recogían sus cosas, empezó a hacer planes para el fin de semana siguiente.

–Deberíamos cambiar de ruta –dijo cuando se aproximaban al punto en el que el los dos ríos, el Bonneau y el Dakota, confluían.

–¿Por qué? –preguntó Rosebud, que cabalgaba a su lado, lo bastante cerca como para que si alargaba la mano pudiera tocarla.

–Porque… –Dan calló antes de añadir «puede que me sigan».

El fin de semana había pasado, así que ya no corría el riesgo de estropearlo.

–¿Conoces a Shane Thrasher? –preguntó.

–No –Dan habría jurado que Rosebud se tensaba.

–Es el jefe de seguridad de Cecil –dijo, haciendo el símbolo de comillas con las manos–. Y es medio *crow*.

Rosebud tomó aire, pero logró no inmutarse.

–¿Y te está siguiendo, o siguiéndonos?

–No lo sé, pero es posible. No he visto ninguna huella, así que estoy seguro de que no ha localizado la cabaña –se había ocupado de comprobarlo cada mañana y cada vez que se habían alejado. Tampoco había visto ningún filtro de tabaco.

–Pero prefiero que no nos arriesguemos. No quiero que descubra nuestro escondite.

Cabalgaron hacia el norte hasta que llegaron a un punto en el que el río se ensanchaba. Dan llevó a Smokey hacia la orilla.

Rosebud miró a su alrededor y Dan vio que parecía asustada.

–Nadie nos ha visto y nadie nos va a ver –dijo él convincente–. No dejaré que nadie te haga daño –ella le dedicó una sonrisa inquieta. Dan insistió–. Te lo aseguro. Si alguien te molesta, le dispararé yo mismo.

Rosebud volvió a mirar a su alrededor, el valle estaba tranquilo, apacible.

–No hace falta –dijo finalmente al tiempo que empezaban a cruzar el río–. Sé cuidar de mí misma.

Capítulo Catorce

–¿Dónde has pasado el fin de semana? –preguntó Cecil.

Dan se tensó como un adolescente al que hubieran descubierto saltándose el toque de queda.

–Por ahí.

–¿Con quién?

–Con mi caballo. Quería contrastar algunos puntos en el mapa.

Cecil pasó de su habitual actitud huraña a algo que podría considerarse «cálido» en su mirada.

–¿Y cómo van las cosas con Donnelly? –preguntó en tono de complicidad.

Dan se comería su propio brazo antes de desvelar nada de su princesa india.

–No sé qué se puede hacer con ella. Parece accesible, pero mantiene la distancia con todo el mundo, incluido yo. No ha vuelto a aceptar ninguna invitación a cenar.

–Así que no progresas… –dijo Cecil. Y Dan puso cara de contrariedad para resultar más convincente. Cecil miró el calendario–. Quedan menos de tres semanas. Insiste.

Dan pensó que le gustaría atravesar la cara de su tío de un puñetazo, pero se limitó a preguntar:

–¿Por qué hemos decidido hacer una presa y no un generador de ciclo del agua?

–¿Sabes el dinero que hemos invertido en esto? –Cecil golpeó la mesa con una energía innecesaria.

–Nosotros, no; tú –dijo Dan en el tono más tranquilo posible. El que dedicaba a los momentos tensos.

Cecil pareció sorprendido por una fracción de segundo antes de recuperar su habitual expresión de desdén.

–¡No me digas que has estado escuchando a esa mujer! ¡Es una lunática que nos ha costado millones de dólares!

–Tengo la impresión de que quien está costando ese dinero eres tú. Voy a traer a parte de mi equipo: ingenieros y auditores. Vamos a repasar tus libros de contabilidad, Cecil.

En aquella ocasión la sorpresa fue sustituida por inquietud.

–¡Ya sabía yo que cometía un error al llamarte! Eres tan blando para los negocios como tu madre.

Dan lo había acorralado y ambos lo sabían.

–Se lo mencionaré. Pero recuerda que su voto tiene mucho más peso en la junta directiva que el tuyo.

Cecil parpadeó.

–Audita lo que quieras, pero las obras empiezan en tres semanas.

Era el mismo plazo que Dan tenía para llevar a los mejores miembros de su equipo hasta allí sin poner en peligro los trabajos en los que estaban implicados. Hasta entonces, tenía que descubrir cuáles eran las verdaderas intenciones de Cecil. Si no podía demostrar que estaba haciendo algo ilegal, la junta no votaría en su contra.

Dan dio media vuelta, salió y fue a su dormitorio.

Para librarse de Cecil, necesitaba encontrar pruebas sólidas, pero ¿cómo?

Estaba vaciando su bolsa y reuniendo la ropa para lavar cuando supo cuál era la respuesta: María.

La encontró en la cocina, tarareando mientras cocinaba unos tamales. Como no había vuelto a buscar micrófonos, se inventó la excusa de que la necesitaba para comprobar la presión de las ruedas para que saliera al patio con él.

–María, ¿para quién trabajas, para Cecil o para mí?

–Para el señor Cecil –dijo ella tras una pausa reflexiva–, pero me gustaría trabajar para usted.

Dan fingió mirar las ruedas.

–Pues me gustaría contratarte –María la acompañó hacia la siguiente rueda–. Estoy buscando una caja que Cecil guarda bajo llave.

–A mí no me permite entrar en su despacho, señor. ¿Qué aspecto tiene?

Dan ocultó una sonrisa de satisfacción. María ya era su empleada.

–Es de madera y parece muy antigua. En ella hay una carpeta con documentos.

–No la he visto nunca –habían acabado con las ruedas. Antes de incorporarse, María susurró–: Miraré.

–Dile a Eduardo que compruebe las de delante –dijo Dan en alto, a la vez que iban al interior.

***

–¿Rosebud, dónde has estado? –preguntó tía Emily mientras hacía *patchwork*.

–Por ahí. Necesitaba airearme.

Emily la miró en silencio. De pequeña, Rosebud se sentía intimidada por su severidad, pero ya no. Dejó la bolsa y se hizo un sándwich. La comida había sido secundaria el fin de semana y el hambre que sentía le hizo sonreír. Solo pensar en Dan se estremecía. Estaba buscando una manzana en el frigorífico cuando Emily atravesó su niebla de felicidad.

–¿Cómo te va con ese Dan Armstrong?

Rosebud sintió que se le erizaba el vello y pasó automáticamente a la ofensiva.

–No sé qué esperas que consiga –cerró la puerta con brusquedad–. No tiene ni idea de la presa y por lo que intuyo Cecil no le ha contado nada.

Era la primera vez que mentía a su tía.

–No tiene ni idea –repitió Emily.

Rosebud se sitió terriblemente culpable y por un segundo estuvo tentada de hablarle de la posibilidad de la central de ciclo del gua. Después de todo, había alcanzado su cometido: había conseguido que Dan comprendiera su punto de vista. Emily estaría orgullosa de ella. Pero esa no era la razón que había motivado su relación con él. En ese sentido, la presa era un asunto casi secundario. Casi.

Rosebud miró a su tía a los ojos.

–No –mintió.

120

Quizá lo de Dan no era más que un fin de semana y se marcharía en tres semanas. Tal vez la tribu acabara inundada por una presa. Pero no quería que la tribu creyera que había perdido la cabeza por un Armstrong.

O quizá todo saldría bien y la propuesta de Dan saldría adelante.

Emily le sostuvo la mirada y, tras suspirar, dijo:

–Ten cuidado, Rosebud.

–¿A qué te refieres? –preguntó ella.

–No puedes olvidar quién es. Ni quién eres tú y a quién representas.

Rosebud temió que fuera a contarle la historia de la tribu.

Durante un maravilloso fin de semana, Rosebud había logrado precisamente olvidar a quien representaba y había sido feliz por primera vez en mucho tiempo. Por eso pensó que quería volver a disfrutar de la sensación de no ser más que Dan y Rosebud.

–Sé lo que hago –dijo. ¿Era demasiado pedir poder hacer lo que le apetecía por una vez en su vida?

La tía Emily sacudió la cabeza en un gesto que pareció de decepción, y Rosebud tuvo que concentrar toda su energía en no salir y dar un portazo.

Sabía lo que quería hacer: iría la cabaña con Dan el fin de semana siguiente.

Rosebud estaba sentada al otro lado de la mesa, frente a Dan, que le pasaba unos documentos con datos sobre sus empleados.

–Y este es Jim Evans, el jefe de mis ingenieros. Vendrán en dos semanas, el día antes del requerimiento judicial.

–¿Van a alojarse contigo?

–Dudo que Cecil les ofrezca alojamiento –dijo él. Pero luego escribió algo que le mostró: «Le caes verdaderamente mal».

Rosebud escribió en respuesta: «Tampoco tú le caes bien a tía Emily».

Dan respondió: «Odio tener que actuar con tanto secretismo».

«Yo también. Pero no podemos hacer otra cosa».

Dan miró a Rosebud de una forma que esta no supo interpretar porque no era solo afecto o deseo. Nunca le había visto mirarla así y le puso la carne de gallina.

–¿Qué? –preguntó.

Dan escribió: «Ten cuidado». Y ella: «Te lo prometo».

Tener cuidado no era tan sencillo, sobre todo desde que la tía Emily y ella apenas se dirigían la palabra, lo que había enrarecido el ambiente en la oficina. Cada día que pasaba, a Rosebud le costaba más actuar como si no hubiera nada entre ellos. No podían rozarse, y mucho menos besarse, así que debían reprimir la tentación constantemente. Por eso la tensión sexual entre ellos se incrementaba día a día.

Precisamente porque debían tener cuidado, habían tomado rutas largas y complejas para llegar a la cabaña, y tardaban tanto que al llegar casi se arrancaban la ropa el uno al otro.

Al contrario de lo que Rosebud había creído, en cada encuentro Dan parecía empeñado en demostrarle que el sexo del primer fin de semana era mejorable. La primera vez que la tocó con su boca en su punto más íntimo, Rosebud gimió con tanta fuerza, que perdió la voz. La primera vez que la tomó por detrás y alcanzó su sensible y palpitante centro entre sus piernas, Rosebud alcanzó un orgasmo tan violento que lo tiró del colchón. La primera vez que la tomó en sus brazos y susurró: «Rosebud, creo que me estoy enamorando de ti», ella lloró y él le secó las lágrimas a besos. «Y yo de ti», susurró ella en respuesta, aunque en su caso era consciente de que no era un proceso, sino que ya estaba enamorada de él.

«Solo Dan y Rosebud», había dicho él, sonando feliz y solemne a un tiempo. «Eso es todo lo que quiero: un mundo para los dos». Rosebud sintió que se quedaba sin aliento. «Yo también», dijo. Pero los dos sabían que era imposible.

–¿Dan viene hoy? –preguntó Judy mientras preparaba la cafetera.

Rosebud intentó permanecer impertérrita, aunque para entonces su relación con Dan era un secreto a voces.

–No estoy segura –dijo, intentando sonar convincente–. En cualquier caso, no creo que pueda verlo. La cita en el juzgado es mañana –ante la cara de escepticismo de Judy, Rosebud suspiró antes de concluir–: Si aparece, avísame, por favor.

–Claro –dijo Judy, guiñándole un ojo.

Rosebud se resignó al hecho de que, por más discretos que hubieran intentado ser, había fracasado en su intento de ocultar la relación.

El día siguiente era una fecha clave en el proceso, aunque solo fuera una de muchas batallas. Tenía que revisar todos los datos para que cuadraran perfectamente. Dan le había dicho que si conseguía que le concedieran un requerimiento judicial, él tendría muchas más posibilidades de asumir el control del proyecto hasta que el periodo de la orden restrictiva expirara.

Rosebud estaba ansiosa por compartir el plan con alguien, pero para tener éxito, debían mantener la estrategia secreta y actuar con una enorme cautela.

Calculaba que Dan estaría ocupado con el equipo de ingenieros que había llegado el fin de semana, así que no le extrañó su tardanza. Pero cuando Judy llamó a la puerta, le sorprendió que ya fueran las diez y media.

–¿Ya ha llegado? –preguntó a la vez que buscaba el pintalabios en el bolso.

–No –el tono de pánico de Judy la puso en guardia. Al mirarla, vio que estaba extremadamente pálida, como si estuviera al borde del desmayo.

–¿De quién se trata? –preguntó, inquieta. Algo iba mal.

–Cecil Armstrong.

A Rosebud se le congeló la sangre en las venas. ¿Qué demonios hacía él allí cuando no se había dignado a acercarse en todo aquel tiempo? ¿Dónde estaba Dan? «Reacciona», se dijo. No era el momento de dejarse llevar por el pánico.

–¿Qué quiere?

–Hablar contigo. Viene acompañado por un hombre que no es Dan.

–¿Te ha dicho cómo se llama?

–Creo que Shane Thrasher… Me parece que lleva un arma bajo la chaqueta.

–Tranquilízate –dijo Rosebud, a pesar de que su corazón latía aceleradamente–. Prepárales café –al ver que Judy estaba al borde de las lágrimas, añadió–: No te preocupes. Contacta a Joe. Quiero que se ocupe de que esa arma salga del edificio.

–De acuerdo –dijo Judy, precipitándose hacia el teléfono.

Rosebud la imitó y tomó su móvil tan rápido que estuvo a punto de caérsele.

–Vamos, vamos –masculló, al oír el tono de llamada–. Contesta.

En lugar de oír la voz de Dan, saltó el contestador. El pánico volvió a amenazarla.

–¿Dan? Soy Rosebud. Tu tío y Shane Thrasher están en la sala de reuniones y no te localizo. Si pudieras… –¿qué? ¿Presentarse con el Séptimo de Caballería?–. Si pudieras llamarme y decirme qué está pasando, te lo agradecería. Te… –cerró la boca a mitad de decirle que lo amaba–. Te llamaré más tarde. Adiós.

Tras colgar, se obligó a seguir la rutina previa a cualquier reunión. Se trenzó el cabello, se puso las gafas, tomó una carpeta con documentos. Pero no podía engañarse. Aquella reunión no se parecía a ninguna otra. Por eso el estómago le dolía como nunca y tenía ganas de devolver.

Después de todo aquel tiempo, Cecil Armstrong se dignaba a ir a verla.

Siempre cabía la posibilidad de que hubiera acudido en son de paz, se dijo mientras se abotonaba la chaqueta. O que estuviera dispuesto a darse por vencido. Nada de lo que se dijo sirvió para animarla.

–¿Rosie? –Joe asomó la cabeza por la puerta. Rosebud saltó de la silla tan apresuradamente que la tiró–. ¿Qué pasa?

El alivio de ver a Joe le hizo recuperar parcialmente el control.

–Cecil Armstrong está en la sala de reuniones con su jefe de seguridad, Shane Thrasher. Judy dice que está armado y quiero que te ocupes de que entregue el arma.

Joe la miró atónito antes de cuadrarse de hombros.

–Yo me ocupo –dijo con una determinación que lo hizo rejuvenecer veinte años.

El corazón de Rosebud latía con tanta fuerza que estaba segura de que el temblor de su cuerpo era perceptible. No quería entrar en la sala hasta saber dónde estaba Dan, pero cuanto más postergara el encuentro, más nerviosa iba a estar. Así que decidió no demorarlo más.

Tomó el pomo de la puerta exigiendo a su cuerpo que respondiera a sus órdenes. Joe posó la mano en su hombro y dijo:

–Puedes con ellos, Rosebud.

Ella tomó aire antes de abrir la puerta…hacia el abismo.

Cecil Armstrong estaba de pie, junto a la silla coja, mientras que Shane Tharsher, a cuatro patas, inspeccionaba la rueda defectuosa, y Rosebud sintió una leve sensación de victoria que contribuyó a calmarla.

Armstrong se parecía mucho a la imagen que tenía de él por las fotografías, aunque tenía la piel cerúlea, como si no se expusiera a la luz. Siempre lo había imaginado como un gigantesco escollo que debía sortear, pero en persona, era considerablemente más bajo que Dan, y ese detalle le dio fuerza. Cecil Armstrong no tenía ningún poder sobre ella. No tenía miedo de él y no se dejaría atropellar sin ofrecer resistencia. Daba lo mismo que Dan no la acompañara. Estaba segura de que había una buena razón para que no contestara el teléfono. Con toda seguridad ni siquiera sabía que Cecil estaba allí. Tenían un plan y ella lo llevaría hasta sus últimas consecuencias.

–Señor Armstrong, qué sorpresa –afortunadamente, su cuerpo obedeció y su voz sonó fuerte y con determinación. Se volvió a Thrasher, que se había incorporado–. Y usted es ¿Thasher?

Este la miró con una fría familiaridad cargada de desdén. Rosebud sintió de nuevo que la sangre se le congelaba.

–Señorita Donnelley, al fin nos conocemos –la sonrisa de Armstrong era tan falsa como la de un tiburón. Miró a Joe antes de añadir–: Le aseguro que esta es una reunión de negocios. Solo quiero hablar con usted.

Rosebud se mantuvo impertérrita.

–Señor Thrasher, tenemos un código muy estricto respecto a la posesión de armas. El señor White Thunder lo acompañará para que la deje en su coche.

Thrasher mantuvo una expresión despectiva, pero alzando las manos, dijo:

–Claro –se volvió hacia Armstrong–. Por ahora no me necesita, ¿verdad?

–Tranquilo, puedo arreglármelas solo.

¿Arreglárselas, para qué?

Rosebud hubiera dado cualquier cosa por saber que la esperaba, pero se mantuvo en silencio hasta que Joe y Thrasher salieron.

–¿En qué puedo ayudarle, señor Armstrong?

Permaneciendo de pie. Armstrong sacó un sobre del maletín.

–Señorita Donnelly, supongo que sabe que sus pequeñas maniobras legales le han costado una fortuna a mi compañía.

Rosebud se sintió mejor al instante al ver que se adentraban en un territorio en el que estaba cómoda.

–Señor Armstrong, estoy segura de que usted es consciente de que su pequeña presa va a privar a mi tribu de un lugar en el que vivir.

–Es una lástima –dijo él en el mismo tono con el que podría haber hablado del tiempo.

Rosebud se alegró de no haberse hecho una idea errónea de cómo era. Aquel hombre era una plaga para la tierra.

Armstrong golpeó la mesa con el filo del sobre.

–En cualquier caso –continuó–, quería pedirle formalmente y por última vez que retire la demanda que le ha puesto a mi compañía.

Rosebud fijó su atención en el sobre. Estaba empezando a perder el aplomo… Y Dan no llegaba.

–Me temo que eso es imposible, señor Armstrong.

Cecil la observó detenidamente mientras ella se decía que no la amedrentaba.

–Dan me había dicho que era usted muy guapa, pero no le ha hecho justicia.

Rosebud sintió una sacudida de miedo, pero se dijo con firmeza que podía controlar la situación.

–Me siento halagada.

Armstrong volvió a dedicarle una de sus sibilinas sonrisas.

–Tengo algo que quiero que vea –deslizó el sobre por encima de la mesa hacia ella.

Rosebud supo instintivamente que no iba a gustarle lo que iba a encontrar. Decidió no abrirlo… Y sin embargo, se descubrió alargando las manos hacia él a pesar de que una voz interior le rogaba que no lo abriera.

Sacó el contenido. Se trataba de un puñado de fotografías. De ella. Desnuda. Con Dan. Un dolor agudo en la frente la retrotrajo al día en el que habían estado a punto de cortarle la cabellera en el bar. Se miró los dedos, pero no había sangre en ellos.

–Es usted muy fotogénica. ¿Ha pensado alguna vez en ser modelo?

El dolor se intensificó a medida que Rosebud las

estudiaba. Ella, desnudando a Dan frente al fuego; montada sobre él; Dan separándole las piernas, mordisqueando sus pezones. Dan penetrándola.

–Esa es mi favorita –le oyó decir a Armstrong, aunque su voz parecía llegar desde lejos–. Tanto, que me gustaría ser más joven para poder tener una oportunidad.

Rosebud creyó que iba a devolver. Habría querido gritar y luchar, para demostrar a aquel hombre de lo que era capaz una mujer india, pero estaba paralizada, como si su cuerpo operara mecánicamente. Solo podía contar. Trece fotografías de ella haciendo el amor con Dan.

–También hay un *pendrive* con un video –oyó decir a Armstrong en la distancia.

Rosebud se estremeció. ¿Cómo había podido ser tan idiota como para confiar en un hombre blanco, en un Armstrong? ¿Cómo había creído a Dan cuando le había dicho que la protegería, que en la cabaña estaban a salvo? Todo había sido una gran mentira. Por eso ya ni siquiera contestaba el teléfono. Con toda seguridad habría vuelto a Texas. Ella nunca había significado nada para él, excepto un medio para alcanzar sus fines.

–¿Qué quiere? –consiguió decir finalmente.

Una sonrisa de depredador animó el rostro de Cecil.

–Muy sencillo, señorita Donnelly. Quiero que retire la denuncia y que renuncie a iniciar cualquier acción legal contra Arsmtrong Holdings. De hecho, lo que quiero es que mañana no se presente en el juzgado –dijo él, como si hablaran de un tema intrascendente–. Si aparece, se activará una página web con el nombre: *rosebudronnellysexo.com* desde un lugar remoto.

Rosebud sintió que en lugar de quitarle la cabellera le robaba el alma. Repasó las fotografías de nuevo. El rostro de Dan no se veía claramente en ninguna de ellas. Pero Armstrong tenía razón, ella era fotogénica. Cualquiera la reconocería... Y sabría que había traicionado a su gente.

–Tiene hasta mañana para pensárselo. Puede quedárselas. Yo tengo más –Rosebud oyó el cierre del maletín–. Señorita Donnelly, ha sido un placer –ella sintió una mano tocarle el brazo–. Un verdadero placer.

Desde el otro lado del mundo, oyó que se cerraba la puerta. Y Rosebud sintió que su mundo estallaba en añicos.

Capítulo Quince

–¿María? –Dan asomó la cabeza por la puerta de la cocina. María estaba preparando el almuerzo y tenía ante sí una bandeja de magdalenas templándose para que se las llevara a Rosebud–. No veo a Cecil. ¿Sabes dónde ha ido?

María alzó la cabeza con gesto preocupado.

–No. Se ha ido muy temprano.

Era jueves, y Cecil solo salía los sábados. Algo no iba bien.

–Gracias –dijo Dan, tomando el móvil para llamar a Rosebud.

–¿Señor Armstrong? He…

La inquietud que percibió en el tono de voz de María hizo que Dan se parara en seco.

–¿Qué sucede? –preguntó con la mayor calma posible.

–He encontrado algo.

Debía tratarse de la caja. Dan sintió que se le erizaba el vello. Guardó el teléfono.

–¿Dónde está?

–Sígame.

María lo condujo hasta el sótano y abrió una puerta metálica. Sacó una bolsa de plástico. Dan abrió la bolsa.

Allí estaba la caja. Parecía una caja de seguridad de un viejo banco. Se le aceleró el pulso.

Aunque no sabía qué iba a encontrar, estaba casi seguro de que serviría para acabar con Cecil y salvar a Rosebud.

–¿Cuándo la has encontrado?

–Hace dos días –dijo ella en un susurro.

–¿Cómo la has encontrado?

Por primera vez, María se mostró orgullosa.

–Cuando vi que no aparecía en ninguno de los sitios que limpio habitualmente, empecé a buscar en el resto de la casa.

Dan tuvo que reprimir el impulso de abrazarla.

–¿Tienes la llave?

–Sí –a pesar de la penumbra, Dan creyó verla sonreír–. Venga conmigo.

Subieron y, en el salón, María se puso de puntillas frente a la cabeza de búfalo que colgaba como trofeo en la pared y tomó una pequeña llave.

–Funciona.

–María, te adoro –dijo Dan. Lo que la hizo enrojecer–. Siempre tendrás trabajo conmigo, pero nadie puede saber nada de esto. ¿Lo entiendes?

–Claro, señor.

Dan prácticamente corrió a su dormitorio, se sentó en la cama y abrió la caja.

La primera carpeta contenía los planos de un centro turístico en torno a la presa. Dan los estudió en estado de *shock*. Incluía un campo de golf, hoteles de lujo e incluso un casino.

Así que ese era el secreto que no había logrado

descubrir: Cecil había ampliado los negocios hacia la construcción de propiedad inmobiliaria. El viejo estaba financiando el proyecto con fondos de la compañía, pero él sería el exclusivo propietario.

Dan dejó los planos a un lado, convencido de que bastaban para eliminar a Cecil definitivamente de la compañía.

Tomó la siguiente carpeta. Aparentemente no contenía más que listas de nombres con algunas fechas. Ninguno significaba nada para Dan. La tercera lista iba a acompañada por los títulos correspondientes: «Royce Maynard, presidente del juzgado; 250.000 dólares».

Cecil había estado sobornando a los cargos oficiales. Con manos temblorosas, Dan fue revisando carpetas hasta que llegó a una marcada «Indios». Cuando la abrió, cayó al suelo un *pendrive*. Lo tomó, pero su atención se fijó en un documento con el nombre «Rose Donnelly». Estaba rodeado por un círculo, y a su lado había una fecha que Dan identificó como el primer día que se había reunido con ella. Pero al lado no se detallaba ninguna cantidad de dinero. Los nombres de «Joe White Thunder y Emily Mankiller» también se incluían, rodeados así mismo por círculos y sin cifras. Hacia el final de la carpeta encontró un sobre con el nombre de «Tanner Donnelly» y una fecha de tres años atrás. Lo abrió y encontró dos placas metálicas de identificación.

Dan cerró los ojos, resistiéndose a seguir mirando. Aunque siempre había creído la versión de Rosebud, no había querido creer que nadie de su familia pudiera estar implicado en el asesinato de su herma-no. Sin embargo, tenía la prueba en sus manos.

La caja contenía muchas más cosas, pero decidió que, por el momento, tenía suficiente.

Debía contárselo a alguien, y aunque su primer impulso fue llamar a Rosebud, temió su reacción. Una cosa era que hubiera prometido no volver a dispararlo a él, pero ¿incluiría en esa promesa a Cecil?

Necesitaba contactar a la autoridad. ¿Cómo se llamaba aquel hombre…? Buscó en la cartera y encontró la tarjeta: Tom Yellow Bird.

Volvió a encender el teléfono. Tenía una llamada perdida de Rosebud, que probablemente se preguntaba dónde estaba. Miró la hora. Se había hecho tarde. Casi tardaría tanto en llamarla como en ir a verla, pero antes necesitaba recabar información. Marcó el número de Yellow Bird mientras devolvía las carpetas a la caja.

–Yellow Bird –contestó el hombre con voz áspera.

–Soy Armstrong, Dan Armstrong –cerró la caja con llave. No podía permitir que Cecil la recuperara. Necesitaba las pruebas–. He encontrado algo que usted estaba buscando. Necesito hablar con la persona adecuada –¿Cómo se llamaba aquel tipo? Dan fue al escritorio y miró entre sus papeles–. ¿Sabe quién es James Carlson?

–Claro que sí –dijo Yellow Bird, bajando la voz–. ¿Qué es lo que tiene?

–No puedo decírselo, pero lo aseguro que más que suficiente –dijo Dan.

–De acuerdo. Deme veinte minutos.

***

Lo primero que le inquietó fue encontrar a Judy llorando. Lo siguiente, fue ver su expresión de horror cuando lo vio. Y por último, que le preguntara:

—¿Qué hace aquí?

Como si fuera un asesino en serie.

—¿Está Rosebud? —preguntó él, angustiado

—Se ha ido —el odio en la voz de Judy era inconfundible.

—¿Qué ha pasado? —preguntó en tono conciliador.

—¿Que qué ha pasado? —preguntó ella, indignada—: Que no nos había advertido que su tío fuera a visitarnos; que Joe tuvo que acompañar a un tipo con aspecto peligroso, llamado Thrasher, para que dejara el arma que portaba en su coche; que su tío salió cinco minutos después de la sala de reuniones con una sonrisa de oreja a oreja; y que diez minutos más tarde, Rosebud lo siguió como una zombi, mientras que usted no estaba localizable. Eso es lo que ha pasado.

—¿Mi tío y Thrasher han estado aquí? —por un segundo, Dan no pudo creerlo.

—Estoy segura de que lo sabía y que por eso mismo no vino. Le advertí a Rosebud que tuviera cuidado con usted, pero evidentemente, no sirvió de nada —Judy estaba fuera de sí.

—Judy, usted me conoce. Sabe que no haría nada que pudiera hacerle daño. ¿Dónde ha ido?

—No pienso decírselo. ¡Fuera de aquí! —Judy tomó la cafetera y se la tiró.

136

Dan salió antes de que impactara con su cabeza.

Empezaría por acudir a casa de Rosebud, se dijo al arrancar el coche. Solo había ido en una ocasión, después de la pelea en el bar, y apenas recordaba el camino. La llamó por teléfono, pero saltó el contestador, y como no pensaba que treinta segundos le bastaran para dar una explicación, siguió insistiendo. Mientras el teléfono sonaba intentó adivinar qué habría hecho Cecil, sabiendo que cualquiera que fuera la respuesta, no podía ser nada bueno.

Finalmente, reconoció una pista de tierra. Al cabo de un kilómetro vio una casa que parecía más bien una chabola, y que le resultó familiar. Los cristales estaban cubiertos de cinta adhesiva. Comprendió que Rosebud no quisiera que la visitara, y le pareció vergonzoso que eso fuera todo lo que una abogada de primera línea podía conseguir en aquellas tierras.

Saltó del coche y llamó a la puerta, llevando bajo el brazo la caja envuelta en la funda de almohada. Lo primero que notó fue un silencio sepulcral.

—¡Rosebud, por favor!

El llanto de una mujer le llegó como el disparo de una pistola. Procedía de la parte de atrás. Dan corrió en esa dirección a tiempo de ver a su princesa india sacudiéndose a Emily Mankiller de encima como si fuera una mosca. La mujer cayó de espaldas.

Emily lo vio y Dan percibió su mirada de rencor.

—¡No! —gritó. Pero fue más un aviso para él que para Rosebud.

Esta se quedó paralizada. Llevaba el vestido de ante y los mocasines. Su cabello suelto flotaba en el aire. Llevaba una bolsa cruzada al hombro. Con una mano sujetaba las riendas de su caballo, que tenía a su lado. Dan no podía ver la otra mano.

Todo pasó a cámara lenta. Rosebud lo miró fijamente, pero tenía la mirada perdida. Tal y como Judy la había descrito, parecía una zombi.

Rosebud soltó las riendas al tiempo que alzaba la otra mano, y Dan se encontró mirando el cañón de una pistola que le resultaba familiar. Instintivamente, dejó caer la caja y alzó las manos.

–Debería haberlo supuesto –dijo ella en un tono mecánico, sin dejar de apuntarle–. Debería... No tengo excusa posible.

–¡Rosebud, no! –le suplicó Emily.

–No sé por qué te extrañas. Fuiste tú quien me animó a acercarme a él para ver qué podía sonsacarle –la voz de Rosebud se quebró al final de la frase–. No quería hacerlo. Pensé que bastaría con un guiño y un beso, que no me confundiría. Sabía que podías ser un problema, pero no pude resistirme. Supongo que eso me convierte en una idiota, ¿no crees?

Dan sintió una opresión en el pecho. En ningún momento se le había pasado por la cabeza que Rosebud actuara movida por intereses ocultos. Había estado tan ocupado conquistándola que no se le había ocurrido que ella actuara de acuerdo a un plan.

–Lo siento –gritó Emily, al borde de la histeria–. Nunca pensé que llegaría a esto –se volvió a Dan–. Jamás me dijo nada de ti, lo juro.

–¿Qué ha pasado? –se atrevió a preguntar Dan aun sin saber si la respuesta sería un disparo.

Rosebud le dedicó una sonrisa crispada.

–Qué amable eres preguntándolo, aunque sea innecesario. He visto las fotos que preparaste con Cecil –Rosebud cerró los ojos con fuerza como si intentara cegarse.

¿Fotos? Dan supo al instante que lo había sucedido y se sintió responsable de por no haber conseguido proteger a Rosebud Cecil y de Thrasher.

Esforzándose por sonar tranquilo para intentar contagiar algo de calma a Rosebud, dijo:

–Yo no he preparado nada.

–Me hiciste creer que podía confiar en ti, que yo te importaba.

–Te amo, Rosebud. Jamás te haría daño.

–Mentira –dijo ella.

–Es verdad. Cuando las cosas se calmaran pensaba pedirte que te casaras conmigo.

–Tú no quieres una esposa –dijo Rosebud al borde de las lágrimas–. Tú mismo lo has dicho.

–Tú no serías solo mi esposa, querida. Serías mi igual.

Rosebud pareció ablandarse. La pistola apuntó varios centímetros más abajo.

–Dan…

Dan rezó para que siguiera hablando porque ello aumentaba sus probabilidades de éxito.

–Le haré pagar por ello. Créeme, no tiene ni idea de la que se le viene encima.

Rosebud volvió a apuntarle a la cara.

–Puedes engañarme una vez, pero dos…–amartilló el gatillo.

El teléfono de Dan sonó, sobresaltándolos a ambos.

–Es importante –dijo él, sacándolo del bolsillo lentamente. Ella rio con sarcasmo, pero le dejó actuar–. Armstrong –dijo él, al teléfono.

–¿Dan Armstrong? Soy Carlson.

–¿James Carlson?

Al oír el nombre, Rosebud clavó la mirada en él, alerta.

–Thomas Yellow Bird me ha dicho que tiene algo que puede interesarme.

–Depende de lo que esté buscando.

–¿Conoce a Rosebud Donnelly?

Dan la miró.

–Está aquí a mi lado –Rosebud lo contempló, perpleja–. Contactó con usted hace tiempo por la muerte de su hermano y la posible relación de esta con mi tío, Cecil Armstrong.

–Parece que está al tanto. ¿Tiene algo que pueda servirme?

–Depende de para qué quiera usarlo.

–Dígame qué tiene y le diré qué uso puedo darle.

Dan se cansó de lo que parecía un juego entre un gato y un ratón. Decidió arriesgarse.

–He encontrado una caja con documentos de mi tío con planos para hacer un centro vacacional al borde de la presa, así como una lista de nombres con fechas y cifras en dólares. Creo que las placas de identificación de Tanner Donnelly también están ahí.

–¿Cifras en dólares? –preguntó Carlson, obviamente interesado.

–Tengo la impresión de que ha sobornado a algunos jueces para conseguir lo que quería. No he reconocido los nombres.

–Señor Armstrong, debe saber que el departamento de Justicia está investigando a Cecil Armstrong y a Armstrong Hydro por extorsión. Su ayuda puede ser extremadamente valiosa.

¿Armstorng Hydro? A Dan le costaba pensar con una pistola apuntando a su cabeza, una mujer sollozando y una preciosa princesa india en estado catatónico.

–¿Qué conseguiría cambio?

–¿Qué quiere? –preguntó Carlson tras una pausa.

–Que mi compañía quede al margen. Cecil abandonó Texas hace cinco años y desde entonces ha actuado independientemente.

–No sé si eso es posible.

–Entonces, quemaré la caja.

–No creo que eso sea necesario.

–Le daré todas las pruebas que necesita si se olvida de la compañía. Y si ayuda a Rosebud.

La pausa que siguió fue más prolongada que la anterior, y Dan se preguntó si la conversación estaba siendo grabada.

–¿Y por qué habríamos de hacer eso?

–Creo que Cecil está intentando chantajearla –por la expresión de Rosebud, dedujo que había dado en el clavo–. Sospecho que tiene fotos comprometedoras de ella. Quiero que se destruyan y que nadie, absolutamente nadie, las vea.

–¿Quién más está en ellas?

Dan se tragó el último resto de orgullo que le quedaba.

–Yo.

Una vez más, Carlson hizo una pausa.

–¿Ha dicho que está con usted?

–Sí.

–¿Qué está haciendo?

–En este momento, me apunta con un arma.

Carlson dejó escapar un silbido.

–Deben ser una fotos impactantes. Permítame hablar con ella.

–James Carlson quiere hablar contigo –dijo Dan a Rosebud.

Avanzando lentamente, se acercó. Ella le quitó el teléfono de la mano.

–Soy yo.

Algo en la forma que lo dijo hizo pensar a Dan que Carlson y ella se conocían.

–No… Yo… sí –Rosebud cerró los ojos con fuerza–. Son horribles, James. Todo. Todo.

Thrasher debía haber descubierto la cabaña. Era la única explicación posible.

–Dijo… –Rosebud pareció a punto de echarse a llorar, pero recuperó el control sobre sí misma–. Cecil ha dicho que si aparezco mañana en el juzgado, activará una página web. También tiene un video –en cuanto terminó la frase, la emoción la desbordó.

Dan estaba furioso. Lo que Cecil le estaba haciendo a Rosebud era imperdonable.

–Pero… Sí, sí. ¿Me lo prometes? –Rosebud bajó el revolver lentamente–. Lo sé. Lo comprendo. Lo haré. No, no lo haré. Lo prometo –con el revolver apuntando el suelo, le pasó el teléfono a Dan–. Quiere hablar contigo otra vez.

–¿Carlson? –dijo Dan, al teléfono.

–Este es el trato, Armstrong. Usted me entrega a Cecil, y se queda con la compañía.

–¿Y Rosebud?

–No puedo destruir las fotografías, al menos por ahora. La acusación de chantaje es muy seria y las necesitamos como pruebas. Pero las guardaré bajo llave y no consentiré que se hagan públicas.

–¿Cómo sé que puedo confiar en usted?

–¿Rosebud le ha hablado de mí?

Dan sintió que se iluminaba una luz en su cerebro.

–¿James… de la carrera de Derecho?

Rosebud asintió con la cabeza.

–Tiene mi palabra. Pero necesitamos que la web se active aunque sea durante unos minutos. Rosebud debe presentarse mañana en el juzgado.

–No.

–Bastarán cinco minutos para que lo encarcelemos por chantaje. Rosebud ha accedido.

–¿Estás segura? –preguntó Dan a Rosebud.

–Es el precio que he de pagar por haber cometido un error.

–¡Ah, y le he dicho que no le dispare! –comentó Carlson–. Es un testigo importante.

–Gracias. ¿Qué hay de Cecil?

–Yellow Bird lo está siguiendo. Piensa que Thrasher es su pistolero, así que también vamos a detenerlo.

–¿Qué espera de mí?

–Que actúe como si nada hubiera pasado… No queremos que sospeche.

–Yo me quedo con la empresa, Rosebud se libra de esto y usted atrapa a Cecil. ¿Ese es el acuerdo?

–Así es.

–De acuerdo.

Dan colgó.

–¿Qué ha pasado? –preguntó Emily, acercándose a Rosebud–. ¿Querida?

–Yo… –Rosebud bajó la mirada al revolver, parecía ida–. ¡Dios mío, lo he estropeado todo! ¡Todo!

Súbitamente, subió a la grupa de su pinto y se lanzó al galope. Dan notó que una mano lo detenía y solo entonces se dio cuenta de que su instinto había sido seguirla..

–No –dijo Emily–. Corres peligro.

–Intentaste tenderme una trampa –dijo él.

–Cómo íbamos a saber que… –Emily abrió los ojos desorbitadamente.

Sonó el teléfono y tras lanzar una mirada de reprobación a Emily, Dan se separó de ella e hizo lo único que podía hacer: contestar.

Capítulo Dieciséis

El arrogante abogado de Cecil le dijo algo a este y ambos estallaron en una sonora carcajada. Dan tuvo que reprimir el impulso de entrechocar sus cabezas para rompérselas, pero hizo un último esfuerzo por mantener la calma. Apenas había dormido porque cada vez que cerraba los ojos vía el rostro impertérrito de Rosebud. No contestaba a sus llamadas y la última vez que había hablado con Emily, de madrugada, todavía no había vuelto.

Dan no sabía hacia dónde mirar. Si miraba de frente, veía a Cecil y se enfurecía. La noche anterior había hecho un trabajo de interpretación excepcional. Cuando Cecil le había preguntado qué tal le había ido la reunión con «esa Donnelly», se había limitado a decir que no la había visto porque se encontraba mal.

Si miraba hacia la izquierda, era aun peor porque veía a Thrasher. Reprimir las ganas de partirle la boca le costaba un esfuerzo sobrehumano.

Pero si miraba a la izquierda, veía la silla vacía que Rosebud debía ocupar. Y comprobar que ni ella ni nadie de la tribu había acudido, estaba sacándolo de sus casillas.

Dan había querido ir tras ella, pero Yellow Bird

justo había llamado. Habían quedado para que Dan le diera la caja y el agente le había convencido de que actuara con la mayor naturalidad posible ante su tío.

Tanto de este como de Tharsher, iba a ocuparse la justicia. Se suponía que era el día de la victoria, pero Dan no llegaba a creérselo. A título personal, todavía le quedaba resolver el conflicto con Rosebud, y demostrarle que era merecedor de la confianza que había depositado en él. Ansiaba irse con ella de aquel lugar.

Aparte de algunos periodistas, en el tribunal solo estaba Yellow Bird, sentado varias filas detrás, con las gafas de sol puestas, y estaba seguro de que tenía órdenes de disparar si algo salía mal.

—En pie —dijo el guarda del juzgado—. El honorable juez Royce Maynard.

Dan se puso en pie a la vez que recordaba instantáneamente que aquel juez estaba en la lista de Cecil. Rosebud no habría tenido la menor posibilidad de ganar el caso de no haber sido por el descubrimiento de María.

—Comienza la sesión —añadió el guarda, al tiempo que el juez Maynard acomoda su voluminoso cuerpo en el sillón.

—Siéntense —Maynard miró en torno—. ¿Dónde está el abogado de la tribu *red creek*?

—Aquí —se oyó una voz a la entrada—. Estoy aquí, su señoría.

Dan se giró. Rosebud estaba junto a la puerta, sujetando su maletín con fuerza y ademán imperturbable. Caminó con paso firme y Dan, admirándola más que nunca, tuvo la certeza de que podía enfrentarse a la situación. Era la mujer más increíble que había conocido.

Cuando volvió la mirada de nuevo hacia Cecil, la ira volvió a apoderarse de él al oírle resoplar con desdén antes de susurrar algo a Thrasher y hacer una breve llamada.

–Llega usted tarde, señorita Donnelly –la voz de Maynard resonó en la sala.

–Lo siento –dijo ella con firmeza. Seguía siendo una abogada excepcional.

–Señor Armstrong, la sesión ha comenzado. Esa llamada puede esperar.

–Claro, su señoría –dijo Cecil, apagando el teléfono y acomodándose con cara de satisfacción.

El juez preguntó si alguna de las partes quería hacer una declaración y, para sorpresa de Dan, Rosebud asintió.

–Señoría –dijo, poniéndose en pie–. Los lakota han sobrevivido al sarampión, al ejército de los Estados Unidos, a la extinción del búfalo y a la reclusión en reservas. Hemos sobrevivido a las escuelas de los blancos, a sus tratados y su avaricia.

Dan sintió el orgullo de saber que se defendía mientras su dignidad estaba siendo arrastrada por el barro.

–Hemos sobrevivido a la intimidación, el asesinato y el chantaje. Pero si permite que el río Dakota se embalse nos condenará a la aniquilación.

Dan la contempló embelesado. Cecil no la había quebrado. Ella era más fuerte que todos ellos juntos.

El abogado que representaba a la compañía habló en términos genéricos, incluyendo conceptos como «progreso» y «avance». Mientras se alargaba en su perorata, Dan empezó a preguntarse por qué Carlson tardaba tanto. La página ya se debía haber activado.

–He revisado el caso –dijo Maynard cuando finalmente el abogado concluyó–. Y no veo motivos para que justifiquen el mandamiento judicial contra Armstrong Hydro, abogada de la acusación.

El mazo pareció bajar a cámara lenta, y Dan tuvo el tiempo justo de pensar «se acabó» antes de que la puerta se abriera de par en par y un grupo de oficiales uniformados entraran precipitadamente.

«Ya era hora», pensó Dan. Tenía que ir junto a Rosebud.

–¿Qué es esto? ¡Orden! ¡Orden! –gritó el juez, golpeando el mazo.

Dan saltó la barrera, derribó a un agente y se arrodilló ante Rosebud

Ella cerró los ojos y ladeó la cabeza en sentido contrario, pero Dan no iba a dejar que mantuviera esa actitud hierática con él. Después de todo, no había hecho anda malo. Y la amaba.

–¡Mírame! –le ordenó, sonando firme a la vez que tierno.

Un hombre alto con un traje caro entró en la sala.

–Señoría, soy James Carlson, delegado del departamento de Justicia. Tengo una orden de detención para Cecil Armstrong –dijo, a la vez que entregaba la orden a este, que la dejó caer como si fuera material radiactivo.

—¿Cuáles son los cargos?

A Dan casi le hizo gracia que Cecil se permitiera aquella chulería hasta el final.

Súbitamente, se elevaron gritos en la sala, que decían: «¡Agáchense! ¡Agáchense!» seguidos de un disparo. Sin pensárselo, Dan se echó sobre Rosebud y ambos cayeron al suelo.

—¿Estás bien? —preguntó él—. ¿Te has hecho daño?

Rosebud tenía el cuerpo en tensión y cerraba los ojos. Parecía a punto de desmayarse.

—Avísame… cuando haya pasado todo —dijo finalmente, con la voz quebrada.

—No dejaré que nadie te haga daño —dijo él por encima del ruido de muebles arrastrados y de los gritos.

Rosebud tragó saliva y giró la cabeza para cobijar el rostro en su cuello, a la vez que su cuerpo se amoldaba al de él. Dan tuvo a sensación de respirar por primera vez en el día.

—Todo irá bien —susurró, abrazándola—. Estoy aquí. Estamos juntos. Has estado impresionante.

—Tenía que hacerlo por la tribu —susurró ella, acariciándole la piel con su aliento—. Y por Tanner —se oyó el ruido de madera quebrándose y más gritos. Rosebud se estremeció—. No me dejes.

Todavía lo necesitaba y confiaba en él. Dan la abrazó con todas sus fuerzas. No estaba seguro de si el tiroteo había acabado o no, pero estaba dispuesto a asumir cualquier riesgo por ella.

—No voy a ninguna parte.

De pronto se produjo un momento de extraña

calma. Dan se atrevió a lanzar una mirada por encima del hombro.

Yellow Bird sujetaba a Thrasher en el suelo, apretándole el cuello con la rodilla. Uno de los dos sangraba, pero la herida no debía ser mortal.

–Llevo esperando tres años a poder decir esto: quedas arrestado por el asesinato de Tanner Donnelly.

–¿Ya ha pasado? –susurró Rosebud.

–Casi, cariño, casi.

–¡Guarda, saque su arma y despeje la sala! –gritó Maynard.

Carlson se acercó a él y le dio un papel.

–Señoría, con el debido respeto, me temo que no puede hacer eso. Queda arrestado por prevaricación.

–¡Quíteme las manos de encima! –Dan sabía que no debía sentir tanta satisfacción al oír el tono de terror de Cecil, pero no pudo evitarlo–. ¡Dan, haz algo!

–No voy a ninguna parte –dijo Dan a Rosebud. Y tras apretarle el hombro, se puso en pie con ella a su espalda.

La sala había quedado destrozada.

–Dan –dijo Cecil, sonando desafiante.

Dan miró a su tío, que estaba esposado. Yellow Bird obligaba a levantarse a Thrasher. El guarda, que sangraba por la nariz, apuntaba a este con su arma. Incluso Maynard tenía las manos en alto y un oficial le leía sus derechos.

–¿Dan? –dijo Cecil de nuevo. La arrogancia empezaba a ser sustituida por el pánico–. Dan, por favor, ¡soy tu tío! Somos de la misma familia.

En lugar de hablar con su tío, se volvió a Rosebud.

—Ya estás a salvo —dijo con dulzura—. Ya nadie puede hacerte daño.

De la boca de su tío escapó una retahíla de insultos y palabrotas, a las que Dan no prestó atención. Rosebud tenía a vista bloqueada por él, que le servía de pantalla protectora, y era evidente que no quería ni mirar, ni comprobar qué había pasado, ni mucho menos ver a Cecil o a Thrasher. Solo quería olvidar.

—¿Señorita Donnelly? —dijo James, sonando como el abogado que era y no como el amante que había sido—. ¿Se encuentra bien?

Rosebud tomó aliento y recuperó fuerza al aspirar el aroma de Dan.

—Señor Carlson.

Aquella formalidad parecía absurda, excepto por el hecho de que solo Dan sabía que habían sido amantes. Rosebud se sacudió la falda y la chaqueta antes de mirar a su alrededor. Cuadró los hombros y alzó la barbilla con gesto desafiante. Parecía que hubiera caído una bomba. La barrera había colapsado sobre la primera fila de público, la mesa de la defensa estaba hecha añicos, y había varios agentes apuntando con pistolas.

James estaba en medio. Había envejecido y tenía aspecto de político, una posición a la que aquel caso le ayudaría a llegar.

—Señorita Donnelly, el gobierno le agradece la paciencia que ha demostrado —le tendió la mano—. Y yo quiero agradecerle personalmente su colaboración.

—Mi deber es servir a la justicia —dijo ella, y sintió

una leve calidez ascender por su brazos. Aunque James nunca la hubiera amado, siempre había cuidado de ella y Rosebud sabía que siempre lo haría–. He mantenido mi parte del trato. ¿Puedo asumir que usted también la suya?

James le apretó la mano con afecto.

–La página estuvo activa un minuto antes de que yo mismo la cancelara. No la ha visto nadie.

Rosebud respiró por primera vez aliviada.

–Espero que siga así.

–Desde luego –James miró hacia Dan con una mezcla de curiosidad y celos antes de soltar la mano de Rosebud.

Esta la alargó hacia Dan, que la tomó y, entrelazando los dedos con los de ella, se colocó a su lado. Como siempre, Rosebud se sintió al instante a salvo. Dan le acarició los nudillos con el pulgar mientras ella decía:

–¿Conoce a Dan Armstrong?

–En persona, no. Señor Armstrong –dijo James mientras se estrechaban la mano–. El departamento de Justicia ha quedado en deuda con usted por todo lo que ha hecho.

Un extraño sonido que pareció un gato estrangulado les llamó la atención a los tres.

–¿Tú eres el culpable de esto? –exclamó Cecil, rojo de ira–. ¿Tú?

Rosebud fue por fin consciente de que había resultado victoriosa. Después de tres largos años, había imperado la justicia. Pero al instante se dio cuenta de que, a cambio, había entregado años de su vida y había perdido a su hermano. Así que, una vez alcanzada la victoria, ¿qué tenía?

Dan la tomó por la cintura y dijo:

–¿Qué hay de nuestro trato, Carlson?

–Lo cumpliré –James los miró alternativamente–. Tiene mi palabra.

Dan volvió a estrecharle la mano entre gritos de Cecil.

–¿Nos necesita a alguno de los dos para algo? –preguntó Dan, concentrándose en Carlson.

–Creo que no. Tenemos la caja.

–¡Tú! –Cecil parecía haberse quedado atascado en esa palabra.

Rosebud fue asimilando que Dan había estado trabajando con James y contra su tío. Dan no le había tendido una trampa, sino que había estado de su lado todo el tiempo, tal y como había prometido. Después de todo, era un hombre de palabra.

–¿Dónde puedo localizarlos? –preguntó James, ignorando así mismo los gritos y protestas de Cecil.

Dan soltó a Rosebud para sacar un par de tarjetas de la cartera.

–Este es mi número. Y el otro es el de la casa de Betty Armstrong, mi madre. Puede localizarnos allí a cualquiera de los dos.

–¿Cómo? –la madre de Dan vivía en Texas. Rosebud no comprendía nada.

Dan la miró sonriente.

–Le he prometido que me casaría contigo antes de que te conociera, así que deberíamos darnos prisa –Dan se volvió hacia James–. Podemos ir a Texas, ¿no?

Dan iba presentarle a su madre. Y a casarse con ella cuanto antes.

—Eso, siempre que tú quieras venir —dijo entonces Dan a Rosebud, tomándole la mano—. ¿Quieres venir conmigo?

James los observó por un instante antes de decir:

—Señorita Donnelly, no hay ningún cargo contra el señor Armstrong. Tenemos la convicción de que no participó en ninguna de las actividades ilegales de su tío.

En algún sitio, Tanner asentía con aprobación. Rosebud tenía ya la seguridad más absoluta, había estado siempre de su lado.

Y quería casarse con ella.

James carraspeó.

—Señorita Donnelly, ¿quiere ir a Texas con el señor Armstrong?

Rosebud pensó que un interrogatorio no era apropiado en el momento más importante de su vida. Todo el mundo en la sala guardó silencio. Incluso Cecil.

—Ven conmigo —musitó Dan—. Solos tú y yo. Dan y Rosebud. Es todo lo que quiero y todo lo que he querido siempre.

Rosebud abrió la boca, pero de ella no salió ningún sonido. Cerró los ojos y respiró. Olía a Dan, a almizcle y sándalo. Alargó la mano hacia su pecho. Sabía que si se inclinaba, podría besarlo. Se apoyó contra él. Solo Dan y Rosebud. También eso era todo lo que ella quería.

—Señor Carlson, si me necesita, estaré en Texas.

Epílogo

En diciembre, Shane Thrasher fue sentenciado a veinticinco años de cárcel por asesinato.

Casi un año después, Cecil Armstrong fue encontrado culpable de chantaje, soborno y conspiración de asesinato, entre otros cargos. Fue sentenciado a treinta y cinco años.

Una auditoria de sus cuentas demostró que se había apoderado de varios millones de Armstrong Holdings para invertirlos en un centro turístico en Dakota del Sur. Nunca dio ninguna explicación de por qué había actuado como lo había hecho.

El único miembro de la familia que acudió al juzgado el día en que se dictó su sentencia fue Betty Armstrong, que la escuchó de la mano de Emily Mankiller. Ambas mujeres fueron escoltadas a la salida por Thomas Yellow Bird, e hicieron una declaración conjunta ante la prensa reunida fuera del juzgado.

La cobertura sensacionalista que recibió el caso, dio lugar a un incremento en el número de visitantes al museo y residencia Bonneau, antiguas oficinas centrales de Armstrong Hydro. De acuerdo a la conservadora del mismo, Maria Villarreal, una media de cien visitantes acudían a diario. Sus hijos ganaban algo de dinero vendiendo galletas y limonada. El día que su antiguo jefe era sentenciado, se presentaron más de treinta reporteros. María les dio galletas, pero no hizo ninguna declaración no sobre el juicio.

Dan Armstrong estaba demasiado ocupado como para acudir al juicio, excepto los días que tuvo que testificar. Repartía su tiempo entre las oficinas de Texas y las de Dakota. En aquellas fechas dirigía la construcción de una central de ciclo del agua, veinte kilómetros al sur de la reserva de Red Creek.

La tribu poseía un cincuenta por ciento de la presa, y más de la mitad de los trabajadores pertenecían a la tribu.

Rosebud Armstrong decidió no tomar parte en el juicio, y concentró sus esfuerzos en colaborar con una campaña de denuncia contra la Oficina de Asuntos Indios por la mala gestión de los fondos públicos. Rosebud fue la primea mujer india en defender y ganar un caso frente al Tribunal Supremo. Después de la victoria, se tomó un tiempo libre bajo prescripción médica. El día que Cecil ingresó en prisión definitivamente, se sentó en el cuarto de los niños para terminar la colcha de Tanner. La de Lewis ya estaba en su cuna. Quedaban dos semanas para que nacieran los gemelos, pero dadas las patadas que le daban, no estaba segura de que quisieran esperar tanto. Al principio, el descanso forzado la había sacado de sus casillas. Pero desde que había retomado la costura, había recuperado una parte de sí misma que creía perdida.

Pronto, serían Dan, Rosebud, Tanner y Lewis.

Y Rose era feliz en su hogar.

Deseo

Calor intenso

BRENDA JACKSON

Aunque la aventura que el doctor Micah Westmoreland había tenido hacía mucho tiempo con Kalina Daniels había terminado demasiado repentinamente, sabía que ella no lo había olvidado. Y ahora que estaban trabajando codo con codo, no podía ignorar las chispas que todavía saltaban entre los dos. En aquella ocasión, Micah no se plantearía sus motivos, sino que se limitaría a hacerla suya.

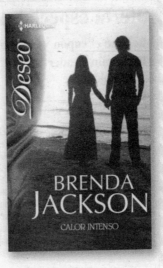

En los brazos de una pasión abrasadora

Acepte 2 de nuestras mejores novelas de amor GRATIS

¡Y reciba un regalo sorpresa!

Oferta especial de tiempo limitado

Rellene el cupón y envíelo a
Harlequin Reader Service®
3010 Walden Ave.
P.O. Box 1867
Buffalo, N.Y. 14240-1867

¡Sí! Por favor, envíenme 2 novelas de amor de Harlequin (1 Bianca® y 1 Deseo®) gratis, más el regalo sorpresa. Luego remítanme 4 novelas nuevas todos los meses, las cuales recibiré mucho antes de que aparezcan en librerías, y factúrenme al bajo precio de $3,24 cada una, más $0,25 por envío e impuesto de ventas, si corresponde*. Este es el precio total, y es un ahorro de casi el 20% sobre el precio de portada. !Una oferta excelente! Entiendo que el hecho de aceptar estos libros y el regalo no me obliga en forma alguna a la compra de libros adicionales. Y también que puedo devolver cualquier envío y cancelar en cualquier momento. Aún si decido no comprar ningún otro libro de Harlequin, los 2 libros gratis y el regalo sorpresa son míos para siempre.

416 LBN DU7N

Nombre y apellido	(Por favor, letra de molde)

Dirección	Apartamento No.

Ciudad	Estado	Zona postal

Esta oferta se limita a un pedido por hogar y no está disponible para los subscriptores actuales de Deseo® y Bianca®.
*Los términos y precios quedan sujetos a cambios sin aviso previo.
Impuestos de ventas aplican en N.Y.

SPN-03   ©2003 Harlequin Enterprises Limited